D0717078

Les mystères romains

3. Les pirates de Pompéi

Les mystères romains

First published in Great Britain in 2002
by Orion Children's Books
a division of the Orion Publishing group Ltd
Orion House, Upper St Martin's lane
London WC2H 9EA
Copyright © Caroline Lawrence 2002
Maps by Richard Russell Lawrence
© Orion Children's Books 2002
The right of Caroline Lawrence to be identified
as the author of this work has been asserted.

Titre original : *The Pirates of Pompeii*

Pour l'édition française :
© Éditions Milan, 2003
pour le texte et l'illustration
ISBN : 2-7459-0912-6

CAROLINE LAWRENCE

Les mystères romains

3. Les pirates de Pompéi

Traduit de l'anglais par
Amélie Sarn-Cantin

MILAN POCHE
HISTOIRE

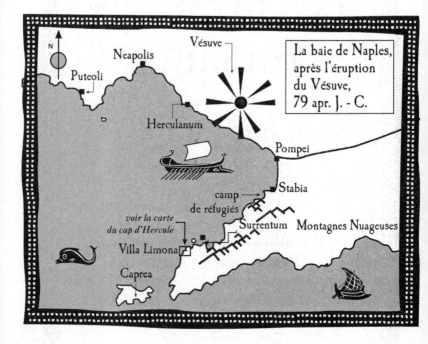

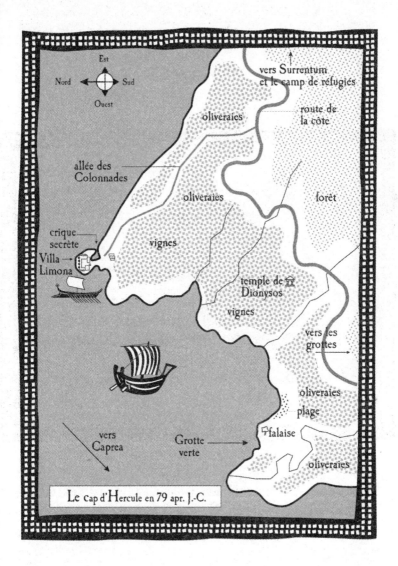

Le cap d'Hercule en 79 apr. J.-C.

À mon mari Richard
qui m'inspire.
C. L.

ROULEAU I

La montagne avait explosé. L'obscurité régnait depuis trois longues journées. Quand le soleil réapparut enfin, il avait perdu son éclat. Le ciel était terne et le paysage dévasté.

Une jeune esclave* à la peau noire gravissait le chemin d'une colline cendreuse, à la recherche d'une fleur qui pourrait sauver son ami mourant.

Nubia regardait partout, espérant apercevoir une tache de couleur émergeant de tout ce gris. Elle n'avait jamais vu de cyclamens, elle savait seulement qu'ils étaient roses et possédaient de grands pouvoirs de guérison. Le docteur les appelait les « porte-chance ».

Mais pas de rose dans ce paysage. Du gris, du gris, du gris. Nubia avançait entre les oliviers, les figuiers, les cerisiers, les cognassiers et les mûriers. Tous étaient couverts de la même épaisse couche de cendre. Ici et là, des souches calcinées fumaient encore.

« On se croirait au pays des morts », pensa Nubia.

Soudain la jeune fille entendit des pleurs étouffés. Ils venaient de la plage en contrebas. Elle s'arrêta. À cette distance, les maisons qui bordaient la crique paraissaient minuscules.

À travers les flocons de cendre qui continuaient de tomber du ciel, elle distinguait l'auberge de Pégase près du promontoire. Quelques bateaux de pêche, à peine plus grands que des jouets, étaient rangés sur la plage près de l'entrepôt où Nubia et ses amis avaient trouvé refuge après l'éruption du Vésuve.

De l'autre côté de la crique, les tuiles des thermes* de Minerve[1] étaient également recouvertes de cendre. Entre l'entrepôt et les thermes, des centaines de tentes et de cabanes de fortune avaient été installées pour abriter les réfugiés.

Une nouvelle plainte s'éleva et Nubia entendit une voix angoissée derrière elle.

– Quelqu'un est mort ? Oh, pourvu que ce ne soit pas lui !

Nubia se retourna. Une jeune fille aux cheveux châtains descendait la colline en courant. Elle était suivie de trois chiens qui soulevaient des nuages de poussière et de cendre sur le chemin bordé de myrtilliers et de lauriers-roses.

1. Déesse de la sagesse.
* Les mots ou groupes de mots suivis d'un astérisque sont expliqués en fin de volume.

– Non, ce n'est pas lui, répondit Nubia en regardant de nouveau vers la plage.

– D'après le docteur Mordecaï[1], il ne tiendra plus longtemps…

Une colonne de fumée partait du bûcher funéraire dressé sur le sable. Autour, des silhouettes levèrent les bras vers le ciel blanc et brûlant et poussèrent des gémissements destinés aux dieux. Nubia frissonna et prit la main de sa jeune maîtresse.

Flavia avait acheté Nubia sur le marché d'Ostia[2] pour la sauver d'un horrible destin. Depuis, pour la jeune Africaine, la gentillesse de Flavia avait été comme une gorgée d'eau fraîche dans le désert. Cette fois encore, Nubia puisait du courage dans la pression rassurante de la main de Flavia.

Après un moment, sans un mot, les deux jeunes filles reprirent leur ascension.

L'une à la peau noire, l'autre aux cheveux clairs, toutes deux vêtues de tuniques[3] déchirées et sales, à la recherche, au milieu d'un paysage désolé, de la fleur qui sauverait la vie de leur ami Jonathan.

De la plage, Lupus[4] regardait Flavia et Nubia. Elles étaient faciles à repérer : les deux seuls points

1. Nom hébreu.
2. Port de Rome et ville natale de Flavia Gemina.
3. Vêtement qui ressemblait à un long T-shirt. Les tuniques portées par les enfants avaient en général les manches longues.
4. Nom romain qui signifie « Loup ».

colorés du paysage. La tunique de Flavia était bleue, celle de Nubia jaune moutarde. Le point brun accompagné de deux points noirs plus petits devait être Scuto et les chiots.

Il allait retourner près du bûcher funéraire quand il crut apercevoir un mouvement plus haut sur la colline. Une personne habillée de brun. Non, deux personnes.

Une rafale de vent lui envoya soudain la fumée du bûcher dans le visage. Ses yeux s'emplirent de larmes. Il les essuya, mais quand il leva de nouveau la tête vers la colline, il ne vit plus que les silhouettes de Flavia et Nubia. Les deux autres avaient disparu.

Lupus haussa les épaules et retourna près du corps qui se consumait lentement. Les parents du mort pleuraient et gémissaient. Deux pleureuses professionnelles, vêtues de noir, aidaient la famille à exprimer sa peine et sa douleur.

Lupus ne connaissait pas le mort. Mais c'était sans importance. Le corps de l'homme avait été rejeté par la mer vers midi. Un de plus.

Lupus sentait la chaleur des flammes. Il garda les yeux ouverts malgré la fumée. Quand les pleureuses commencèrent à se griffer les joues, il les imita. C'était douloureux et en même temps, ce geste le soulageait. Il éprouvait le besoin de concrétiser sa peine.

Dans la chaleur, le cadavre sembla frissonner. Pendant un instant, Lupus imagina que c'était le corps de Pline, le grand amiral qui l'avait traité avec amitié et respect et qui était mort asphyxié comme un poisson hors de l'eau.

Puis le corps devint celui de Clio, sept ans, courageuse et pleine de vie. Clio qu'il avait essayé de sauver par deux fois.

Il avait échoué.

Il vit ensuite le corps de son propre père. Qui avait été assassiné sous ses yeux d'enfant impuissant. Son père dont il n'avait pas pu porter le deuil. Lupus se griffa de nouveau le visage et laissa la douleur l'envahir. Les pleureuses gémissaient. Il ouvrit lui aussi sa bouche sans langue et poussa un long cri de colère et de désespoir.

Les yeux gris de Flavia étaient entraînés à repérer les fleurs sauvages.

À Ostia, quand elle allait se recueillir sur la tombe de sa mère, dans le cimetière situé en dehors des murs de la ville, Flavia déposait les plus belles sur la pierre afin de réconforter l'esprit de sa mère et celui de ses frères jumeaux morts à la naissance. Elle donnait les autres à Alma qui séparait celles qui sont pour la cuisine de celle pour la pharmacie.

Quand le docteur Mordecaï avait demandé aux deux jeunes filles de se lancer à la recherche de la fleur « porte-chance », Flavia n'avait pas douté une seconde de leur succès. Mais elle se rendait compte qu'il était impossible de reconnaître les fleurs sous la couche de cendre. Au milieu de l'après-midi, Nubia et elle avaient trouvé des plantes qui pourraient être utiles au docteur : de la valériane, de l'herbe à pigeons, et des cœurs-rouges.

Mais pas de « porte-chance ».

Elles continuèrent donc de grimper, toujours plus haut. Les oliviers laissaient la place aux noisetiers, aux hêtres et aux pins. L'atmosphère se rafraîchissait.

Au sommet, elles s'arrêtèrent pour reprendre leur souffle. Flavia déboucha sa gourde et but une longue gorgée d'eau. Puis elle la tendit à Nubia.

Nubia but à son tour et s'essuya la bouche, ce qui fit apparaître sur son visage gris de cendre une longue rayure de peau propre.

– Tu ressembles à un esprit de la mort, observa Flavia.

– Ne parle pas ainsi, protesta Nubia, les yeux horrifiés, en esquissant un signe pour éloigner la malédiction.

Elle versa un peu d'eau dans ses mains et se frotta le visage.

– C'est mieux maintenant ?

Flavia acquiesça. Au sommet, la couche de cendre était si épaisse que les chiots en avaient jusqu'au museau. Ils éternuèrent. Flavia prit Tigris, le chiot de Jonathan, dans ses bras et lui caressa machinalement la tête, sans cesser de regarder autour d'elle.

Soudain Scuto bondit vers une clôture de bois. Il s'arrêta devant et gémit.

Flavia et Nubia le rejoignirent. De l'autre côté de la barrière, la montagne devenait un abrupt précipice. L'estomac de Flavia se contracta.

Mais une nouvelle vision lui étreignit la poitrine.

La baie de Neapolis s'étendait devant elles, une mer grise sous un ciel de plomb et derrière…

Le Vésuve.

Décapité. Son sommet n'était plus qu'un cratère sombre aux bords rougeoyants. Comme une plaie sanguinolente. Un ruban de fumée noire montait dans le ciel blanc et s'éloignait vers le sud-ouest.

Au pied du volcan, une centaine de feux brûlaient comme si une immense armée campait là. Un nuage transparent flottait au-dessus de la plaine.

Flavia plissa les yeux. Elle essayait de retrouver les endroits qu'elle connaissait : le port de Stabia[1], la ferme de son oncle, la ville de Pompéi. Elle finit par distinguer Stabia juste sous elle, la digue et la jetée et quelques bateaux minuscules.

— Regarde, dit Nubia, la villa de Clio.

— Où ? demanda Flavia en posant Tigris, pour mettre sa main au-dessus de ses yeux.

Quand le volcan était entré en éruption, ils étaient venus se réfugier à la villa Pomponiana, la maison de leur amie Clio qui surplombait la mer. Ils avaient voulu fuir par bateau, mais un vent contraire les en avait empêchés. Ils avaient dû partir à pied.

---

1. Ville située au sud de Pompéi.

Flavia fronça les sourcils.

– Je ne vois ni la villa de Clio, ni la ferme d'oncle Gaïus, elles devraient pourtant être…

Nubia tendit son doigt.

– Là, ce petit tertre caché par la fumée…

Flavia suivit le doigt de son amie et ses genoux tremblèrent.

Elle agrippa la clôture de bois et la serra de toutes ses forces. Elle avait la nausée.

– Tout a disparu, murmura-t-elle, tout. La villa de Clio, la ferme d'oncle Gaïus et… toute la ville de Pompéi. Tout est enterré sous la cendre et les pierres.

ROULEAU II

Les filles redescendaient la colline. Le soleil disparaissait à l'horizon. Flavia[1] et Nubia devaient être rentrées avant la nuit. Tout à coup, Scuto quitta le chemin et aboya pour les appeler.

Les chiots sur les talons, les jeunes filles louvoyèrent entre les troncs tordus et calcinés des oliviers.

Scuto était assis près d'un buisson, sur la pente escarpée de la colline. Il s'approcha de ses maîtresses à leur arrivée puis retourna près du buisson en remuant joyeusement la queue.

– Scuto ! Tu as trouvé le « porte-chance ». Bravo, mon chien !

Flavia s'agenouilla pour serrer Scuto contre elle. Nubia souffla sur la fleur pour en ôter la couche de cendre.

Flavia la cueillit à l'aide d'une pierre pointue en prenant soin de ne pas abîmer la racine.

– Regarde ! s'écria Nubia.

1. Nom féminin qui signifie « Jolie chevelure ».

En cherchant d'autres «porte-chance» au pied du buisson, elle avait découvert l'entrée d'une caverne.

– C'est pour ça que Scuto aboyait! s'exclama Flavia en rangeant le cyclamen dans son sac.

Des centaines de cavernes étaient creusées dans les collines et les montagnes de la région. Gaïus, l'oncle de Flavia, leur avait souvent recommandé de ne jamais entrer dedans car elles servaient d'abri aux renards, aux loups, aux chats sauvages et parfois même à des ours.

Tout excité, Tigris se jeta dans la bouche noire de l'entrée de la caverne.

– Tigris, appela Flavia, reviens!

De l'intérieur, leur parvint un cri perçant.

Flavia et Nubia se regardèrent, horrifiées. Après une prière à ses dieux protecteurs, Castor et Pollux[1], Flavia glissa la tête dans la cavité.

On n'y voyait goutte. Il régnait une odeur musquée d'animal, de fumée et d'urine. Avant que les yeux de Flavia aient eu le temps de s'accommoder à l'obscurité, un nouveau cri perçant lui déchira les tympans:

– Non, pas le loup, pas le loup…

Loup! L'instinct de Flavia lui commandait de sortir de là et de prendre ses jambes à son cou, mais Nubia était juste derrière elle. Puis Tigris aboya.

À présent, Flavia apercevait une petite silhouette blottie dans le fond. Tigris était près d'elle.

---

1. Célèbres jumeaux de la mythologie grecque, protecteurs des marins.

Flavia rit.

—Ne t'inquiète pas, ce n'est pas un loup, c'est Tigris, ce n'est qu'un chiot. Il ne te fera aucun mal.

Elle rampa un peu plus loin. Nubia la suivit. À mesure qu'elles s'éloignaient de l'entrée, la lumière du soleil couchant pénétrait dans la caverne, éclairant une petite fille vêtue d'une tunique déchirée et chaussée d'une paire de sandales.

Terrifiée, elle se recroquevillait contre la paroi pendant que les chiens lui reniflaient les doigts de pied.

—Scuto, Tigris, venez là tout de suite, ordonna Flavia, toi aussi Nipur.

La caverne devenait de plus en plus étroite. Flavia s'approcha avec difficulté de la petite fille.

—Ne t'inquiète pas, nous ne te voulons pas de mal. Comment t'appelles-tu ?

La petite fille leva vers Flavia de grands yeux humides. Son nez coulait et elle ne sentait pas très bon. Flavia pensa qu'elle avait fait pipi dans sa tunique.

Elle sortit un mouchoir de sa bourse et le posa sur le nez de l'enfant.

—Une fois pour Castor, dit-elle.

La petite fille souffla sans protester.

—Et une autre pour Pollux.

La petite se moucha de nouveau.

—C'est mieux, sourit Flavia.

Elle glissa le mouchoir dans sa ceinture et s'assit en tailleur sur le sol sale de la caverne.

– Je m'appelle Flavia Gemina[1]. Je te présente Nubia et nos chiens. Le grand, c'est Scuto, les chiots sont Tigris le courageux, et Nipur le malin. Comment t'appelles-tu ?

– Julia, renifla la petite.

– Et quel âge as-tu ?

– Cinq ans.

– Tu sais où sont ton papa et ta maman ? continua Flavia.

Le menton de Julia commença à trembler et ses yeux se remplirent à nouveau de larmes.

– Ne t'inquiète pas, se hâta de dire Flavia, tu vas venir dehors avec nous. Nous allons essayer de les retrouver.

Julia mit son pouce dans sa bouche et secoua vigoureusement la tête.

– Mais si, viens. Il va bientôt faire nuit, tu sais.

Julia secoua de nouveau la tête et lança d'une petite voix :

– Rufus m'a demandé de l'attendre ici.

– Qui est Rufus ?

– Mon grand frère. Il m'a dit de me cacher là parce que des méchants voulaient nous attraper. Il m'a fait promettre de ne pas sortir et lui, il a promis de revenir.

– Des méchants ? demanda Nubia de sa voix douce.

---

1. Nom qui signifie « Jumelle ». Geminus et Gemini sont les mêmes mots au masculin et au pluriel.

Après s'être accroupie près de l'entrée, elle s'approcha de l'enfant et s'assit près d'elle. Julia la regarda en écarquillant les yeux :

– Tu as la peau noire !

– Nubia vient d'Afrique, expliqua Flavia, tu n'as jamais vu d'Africains ?

La petite fille secoua la tête une nouvelle fois sans quitter Nubia des yeux.

– Qui voulait vous attraper ? redemanda Flavia.

– Les méchants, souffla Julia, la lèvre inférieure tremblante. Rufus m'a dit de me cacher là et de l'attendre. Il m'a dit qu'il reviendrait bientôt. Mais il n'est pas revenu et ça fait longtemps.

– Tu as passé la nuit ici ? s'enquit Flavia.

Julia acquiesça et tenta prudemment de caresser Tigris qui reniflait ses sandales.

Flavia lui tendit sa gourde.

– Tu as soif ?

Julia but à longues gorgées. Puis, essoufflée, elle rendit la gourde.

– Allez viens, l'encouragea Flavia, c'est presque l'heure du dîner. Je suis sûre que tu commences à être affamée. Nous allons laisser un message à Rufus pour lui dire où tu es, d'accord ?

Julia hocha la tête. Elle était trop occupée à caresser Tigris assis près d'elle, les yeux mi-clos, pour s'inquiéter d'autre chose.

En redescendant la colline, Julia devint plus loquace.

Elle raconta à Flavia que son frère Rufus et elle avaient trouvé une place dans le camp de réfugiés avec leurs grands-parents. Ils étaient partis à la recherche de pommes et de figues quand deux hommes terrifiants avaient surgi des buissons. Le premier l'avait prise par le bras et l'autre avait attrapé Rufus. Mais Rufus était courageux et il avait donné des coups de pied si forts à l'homme qu'il était tombé par terre.

Julia reprit son souffle avant de poursuivre.

– Après, j'ai crié le plus fort que je pouvais et j'ai mordu le bras de l'autre monsieur. Et Rufus lui a donné un coup de pied entre les jambes et puis on a couru tout en haut de la montagne et puis je pouvais plus courir et on entendait les hommes derrière nous. C'est là que Rufus a trouvé la caverne et il m'a dit de me cacher là, ne bouge pas, il a dit, je reviens, et il est jamais revenu.

– S'il revient, la rassura Flavia, il trouvera le message que j'ai écrit dans la cendre devant la caverne. Tu es sûre qu'il sait lire ?

– Oui, il va à l'école, affirma Julia de sa petite voix.

Elle s'arrêta soudain.

– Et si les méchants monsieurs l'ont attrapé et qu'il ne revient jamais ?

Ses yeux se remplirent une nouvelle fois de larmes.

Flavia s'agenouilla devant la petite fille.

– Nous allons le retrouver, Nubia et moi sommes très fortes pour résoudre les mystères. Je te promets que nous retrouverons ton frère et que nous te le ramènerons.

ROULEAU III

Le soleil, énorme, écarlate, s'enfonçait dans la mer. Sa lumière rasante éclairait les collines couvertes de cendre. Le paysage semblait baigner dans le sang. Le ciel était violet foncé.

La nuit serait sans étoile.

Dans le camp, les gens marmonnaient et gémissaient que ces couleurs ne pouvaient qu'être de mauvais augure. Certains affirmaient qu'Apollon, le dieu soleil, était en train de mourir et qu'il ne réapparaîtrait plus jamais. D'autres étaient convaincus que la fin du monde aurait lieu dans quelques jours ou même dans quelques heures. Ils appelaient leurs dieux, déchiraient leurs vêtements et se couvraient la tête de cendre.

Mais, parmi ces gémissements de désespoir, s'élevaient des cris de joie. Un vieil homme et une vieille femme accueillaient Flavia et Nubia.

– Julia, cria la femme, mon bébé.

Ses cheveux étaient gris, mais elle courait en relevant sa tunique comme une enfant.

– Grand-mère !

23

Julia se jeta dans les bras de la femme. Scuto aboya et sauta autour d'elles, aussitôt imité par les chiots.

Le vieil homme était grand. Son visage était parcheminé et buriné. Il marcha vers Flavia et Nubia, les regarda à peine puis son regard se porta derrière elles.

– Rufus, appela-t-il, Rufus.

La grand-mère de Julia, à genoux, serrait contre elle sa petite-fille et embrassa les mains de Flavia et Nubia.

Le vieil homme regarda Flavia.

– Mon petit-fils, cria-t-il, où est mon petit-fils ?

Il avait dû lire la réponse sur le visage de Flavia. Elle n'avait pas eu le temps de répondre qu'il courut vers le chemin en criant d'une voix rauque :

– Rufus ! Rufus !

La famille de Nubia avait toujours vécu sous des tentes. Avec l'aide de Flavia, elle avait rendu leur abri plus confortable que tous les autres. Elles avaient utilisé une vieille voile de bateau, plusieurs capes et une grande couverture, que leur avait donnée Scraïus, l'Étrusque, propriétaire des thermes.

Scraïus avait accepté que le docteur Mordecaï transforme la palestre[1] en hôpital et le solarium[2] en

---

1. Salle d'exercice, en général en plein air, dans les thermes.
2. Pièce faisant partie des thermes, très ensoleillée, destinée au repos, à la lecture et aux soins du corps.

salle d'opération. Il laissait également les réfugiés utiliser les latrines et remplir leurs gourdes et leurs jarres aux tuyaux qui acheminaient l'eau depuis une source dans la montagne. Il pouvait se permettre d'être généreux : une file ininterrompue d'hommes et de femmes venaient utiliser les thermes, de l'aube au coucher du soleil, lui donnant plus de travail qu'il n'en avait jamais eu. Le bain de vapeur était en cours de réparation, mais le bassin d'eau chaude et celui d'eau glacée n'avaient subi aucun dommage.

Scraïus avait également autorisé le docteur à installer sa tente contre les colonnades[1] extérieures des thermes de façon à ce qu'il reste près de ses patients. À l'entrée, au pied d'une colonne, Miriam, la fille de Mordecaï, avait creusé un trou dans le sable. Elle avait entouré ce foyer de grosses pierres plates et l'avait rempli de charbon. Elle était maintenant agenouillée devant, occupée à préparer un ragoût à l'odeur alléchante. Nubia n'eut aucune peine, sans même s'approcher, à reconnaître le principal ingrédient : de la chèvre.

L'intérieur de la tente était sombre. Aristo, le tuteur de Flavia, entreprit d'allumer les bougies. Avec ses cheveux bouclés et sa peau délicatement bronzée, il rappelait toujours à Flavia une statuette du dieu Mercure qu'elle avait vue à Ostia. Aristo sourit aux deux jeunes filles qui entraient.

1. Passage couvert bordé de colonnes.

25

Elles sourirent en retour et se dirigèrent immédiatement vers l'unique couche de la tente : celle où Jonathan était étendu. Les jeunes filles le regardèrent et Flavia demanda à voix basse :

– Comment va-t-il ?

Mordecaï était assis sur un petit tapis d'osier au chevet de son fils.

– Son état ne s'est pas amélioré, soupira-t-il. Avez-vous trouvé le « porte-chance » ?

Flavia tendit son sac au docteur.

– Un seul. C'est Scuto qui l'a découvert. J'espère que cela suffira. Et nous avons mis d'autres herbes qui pourraient vous servir.

Mordecaï prit le sac avec un petit mouvement de la tête.

– Merci, jeunes filles, et merci à toi, Scuto.

– Flavia, Nubia, avez-vous faim ? demanda Miriam.

– Nous sommes affamées, lança Flavia.

– C'est de la chèvre ? se renseigna Nubia.

– De la chèvre et des pois chiches, acquiesça Miriam.

Des tapis d'osier et des capes avaient été posés par terre. Flavia s'assit à côté d'un homme dont les cheveux avaient la même couleur que les siens.

– Comment vas-tu, oncle Gaïus ? lui demanda-t-elle.

– Mes côtes me font mal comme si j'étais en enfer chez Hadès lui-même, mais le docteur m'a affirmé que c'est parce qu'elles se ressoudent.

Il sourit puis grimaça. Les voleurs qui lui avaient cassé les côtes l'avaient également frappé à la mâchoire et lui avaient brisé le nez. Près de lui, une énorme créature, qui ressemblait à un loup, rongeait un os.

Nubia s'agenouilla près de lui, pour le caresser.

– Et toi Ferox, comment vas-tu ?

Ferox n'était plus la terreur de Stabia depuis qu'il avait failli mourir en protégeant son maître des voleurs de chevaux. Un coup de poignard dans la poitrine l'avait rendu aussi inoffensif qu'un agneau.

Ferox lâcha un soupir de sa respiration sifflante, regarda Nubia, remua la queue et retourna à son os.

– Tiens, lui aussi a eu de la chèvre pour dîner, remarqua Nubia.

– Comment l'avez-vous obtenue ? demanda Flavia.

– Je l'ai achetée avec le reste de mon or, soupira Mordecaï, le vendeur en demandait une fortune.

– Papa a donné la moitié de la viande à la famille pauvre qui vit à côté de nous, s'exclama Miriam fièrement en remplissant les bols.

– Miriam, la gronda gentiment son père, nous n'avons pas à nous vanter de nos dons.

– Pardon Père.

Flavia fronça les sourcils.

– Et comment allons-nous acheter de la nourriture maintenant ?

– Nous sommes entre les mains de Dieu, murmura Mordecaï, d'un ton confiant.

Il n'y avait que deux bols de bois et pas de cuillers. Flavia et Nubia utilisèrent du pain pour porter la nourriture à leur bouche. Quand la mie devint trop humide, elles le mangèrent.

– C'était délicieux, Miriam, lança Nubia en reprenant un morceau de pain pour récupérer les dernières parcelles de viande.

Elle prit la gourde et but de longues gorgées. L'eau était froide, pétillante, et avait un goût d'œuf pourri. Elle était pleine de fer et rendait les langues rouge rouille.

Quand Nubia eut fini, Flavia prit la gourde à son tour.

– Mmm, dit-elle, on finit par s'habituer au goût de cette eau.

– Elle est excellente, assura Mordecaï, des gens viennent de très loin pour en boire.

Il regarda tristement Jonathan.

– Si seulement tu pouvais en boire, mon fils.

– Regardez, s'écria Nubia, ses paupières ont bougé.

– Oui, soupira Mordecaï, ça lui arrive parfois, quand il est plus près de l'état de veille que du sommeil. Flavia, donne-moi la gourde s'il te plaît.

Mordecaï versa quelques gouttes sur les lèvres sèches et craquelées de Jonathan.

– Bois mon fils, bois et vis.

Mais l'eau coula le long de la joue pâle de Jonathan et le jeune garçon ne s'éveilla même pas.

ROULEAU IV

Lupus, cria Nubia au moment où le jeune garçon entrait dans la tente. Qu'est-ce qui t'est arrivé ?

Des griffures rouges striaient ses joues.

Lupus haussa les épaules. Ses paupières étaient gonflées, son visage taché de suie, mais ses yeux verts reflétaient le calme. Il se dirigea vers Jonathan, allongé, pâle comme un cadavre. Puis il se tourna et se laissa tomber lourdement près des filles.

Miriam lui servit un bol de ragoût.

– Nous avons déjà dîné, lui dit-elle, c'est pour toi.

Elle lui tendit un morceau de pain et la gourde.

Du coin de l'œil, Nubia observait Lupus. Il n'avait pas de langue et tous savaient qu'il prenait le risque de s'étouffer à chaque bouchée. Il mâchait avec ses molaires et rejetait la tête en arrière pour avaler. S'il voulait mâcher avec l'autre côté de sa mâchoire, il devait pencher entièrement sa tête. Quand il buvait, il tenait la gourde à quelques centimètres de sa bouche et versait habilement l'eau directement au fond de sa gorge.

Nubia vit que les autres le regardaient fixement. Parfois, ils oubliaient que Lupus détestait être dévisagé de la sorte.

– Alors quoi de neuf ? demanda-t-elle à Mordecaï pour essayer d'attirer leur attention sur quelqu'un d'autre.

– Deux morts de plus, répondit le docteur.

Dans le deuxième bol de bois, à l'aide d'un galet, il réduisait le «porte-chance» en pâte.

– Quand les hommes n'ont plus de raison de vivre, reprit-il, ils choisissent la mort. Un des hommes n'était pas si malade que cela.

– Et un enfant a été porté disparu, ajouta Miriam. Un jeune garçon nommé Apollon. Sa mère le cherche partout.

– C'est étrange, s'exclama Flavia en jetant un coup d'œil vers Nubia, nous avons trouvé cet après-midi une petite fille qui se cachait dans une caverne dans la colline. Elle nous a raconté que des hommes avaient essayé de les attraper, elle et son frère. Et son frère a disparu.

– La petite fille allait bien ? s'enquit Miriam.

– Nous l'avons ramenée à ses grands-parents, qui vivent dans une tente à côté de la nôtre, expliqua Nubia.

– Peut-être que c'est son frère l'enfant disparu dont parlait Miriam… suggéra Gaïus.

Flavia secoua la tête.

– Non, son frère s'appelle Rufus.

– Il n'y a pas de limite à la méchanceté des hommes, soupira Mordecaï. Nous venons de vivre une catastrophe terrible et certaines personnes en profitent pour se livrer à leurs plus bas instincts. Les villageois demandent des fortunes pour la nourriture, certains volent les bijoux des morts qui s'échouent sur la plage, et maintenant, des enfants sont kidnappés ! sans doute pour être vendus comme esclaves.

– Nous allons trouver ce qui est arrivé à ces enfants, affirma Flavia. Il faut juste que je réfléchisse au meilleur moyen d'aborder le problème…

Nubia se demanda si Mordecaï n'allait pas lui interdire de tenter quoi que ce soit, mais il était trop occupé à enduire les lèvres de Jonathan de la pâte fabriquée à partir du « porte-chance ».

Le silence emplit la tente. On n'entendait plus que les bruits de masticage et de déglutition de Lupus. Soudain, une note de musique s'éleva.

Aristo avait pris une lyre en écaille de tortue. Il resserrait les clés en ivoire qui tendaient les cordes.

– Une lyre ! s'exclama Nubia. Où l'as-tu trouvée, Aristo ?

– Scraïus, le propriétaire des thermes, me l'a prêtée. Il n'en joue presque jamais. Elle a juste besoin d'être réaccordée.

– Tu vas nous jouer de la musique ? demanda Nubia.

– Je joue si tu joues, accepta Aristo.

– D'accord.

Nubia sortit sa flûte en bois de lotus de dessous sa tunique jaune. Elle était accrochée à un ruban de soie autour de son cou, toujours près de son cœur. C'était son seul bien.

– Parfait, sourit Aristo, tu commences, je te suis.

Jonathan était à la chasse, dans un immense jardin vert qui s'étendait à perte de vue. Il tenait fermement son arc et écoutait le frottement rassurant des flèches dans son carquois. Sa fronde était accrochée à sa ceinture et sept cailloux pesaient dans sa bourse. Les cigales chantaient et le ciel était bleu turquoise. Une odeur de miel lui chatouillait les narines.

Son chiot Tigris courait devant lui, s'arrêtait pour renifler le chemin baigné de soleil et pour vérifier que son maître le suivait. Jonathan n'arrivait pas à se rappeler ce qu'ils étaient censés chasser, mais il faisait confiance à Tigris. À ce moment, le chiot quitta le chemin et se mit à gambader dans la plaine herbeuse. Jonathan courut à son tour, il volait presque. Quelque chose avait changé et soudain, il sut ce que c'était. Habituellement quand il courait, le souffle lui manquait très vite, mais cette fois, il avait l'impression que ses sandales étaient pourvues d'ailes, comme celles de Mercure le dieu messager.

Sa poitrine n'était pas douloureuse. Il courait comme il n'avait jamais couru auparavant.

Tigris s'arrêta devant une large rivière, plus claire que du cristal et bordée d'arbres. Les fruits qui pendaient de ces arbres brillaient de mille feux.

De l'autre côté de la rivière, se dressait une ville faite de diamants. Elle était grande et les maisons tout imbriquées les unes dans les autres.

– Jonathan, souffla une voix, retourne d'où tu viens, les enfants ont besoin de toi.

Le soleil était maintenant couché et la nuit était tombée sur le campement. La lune et les étoiles étaient cachées par les nuages et la cendre mais, sur la plage, des feux avaient été allumés et des foyers rougeoyaient.

Des gémissements et des plaintes continuaient de s'élever ici et là, juste un peu moins fort maintenant que les estomacs étaient pleins. Des couples se disputaient, des enfants pleuraient et des bébés hurlaient. Mais dès que Nubia commença à souffler dans sa flûte, tous ces bruits s'estompèrent.

Elle jouait la chanson de l'enfant perdu. Et à chaque note, elle touchait une personne qu'elle aimait.

Elle avait donné le nom d'un des membres de sa famille à chacune des notes de sa flûte. La plus grave était pour son père, puis venait sa mère, dont la voix était chaude et rieuse. Ensuite se faisait entendre la voix de Taharqo, son frère aîné, qui à seize ans était le meilleur musicien de son village. C'est lui qui avait appris à Nubia la chanson de la jeune fille et celle de l'enfant perdu. Son cousin Kashta prenait alors la parole, il n'avait que treize ans mais pour Nubia il était déjà comme un homme. Si elle était restée dans le désert, ils seraient déjà fiancés.

Les notes les plus aiguës étaient celles de Shabaqo et Shebitqo. Elles auraient dû être les mêmes puisqu'ils étaient jumeaux, mais Shebitqo était né en deuxième et il était le plus frêle des deux. Nubia lui avait donc attribué la plus haute des notes.

Elle finit par jouer la note de Nipur, du nom de son chien, et celle de Seyala, la petite sœur de Nubia, encore bébé, que sa mère portait sur son dos.

En jouant sa musique, Nubia pouvait ainsi caresser tous ceux qu'elle aimait et qu'elle ne reverrait jamais. Ces voix du passé la suppliaient de ne pas oublier. Des larmes coulaient sur ses joues, mais ça lui était égal.

Aristo commença à jouer à son tour, une musique triste mais pleine d'espoir.

Lupus les accompagna en frappant en rythme un morceau de bois sur son bol retourné.

ROULEAU V

Pendant que la musique s'envolait et emplissait le silence, la cape rouge qui servait de porte à la tente se souleva et une petite fille apparut.

C'était Julia et avant qu'elle ne laisse retomber la cape, Flavia aperçut, dehors, des dizaines de personnes immobiles comme des statues.

Julia traversa la tente, se laissa tomber sur les genoux de Flavia et se blottit contre elle. Le pouce dans la bouche, elle ne quittait pas Nubia des yeux.

Modecaï adressa à Miriam un léger signe du menton. La sœur de Jonathan se leva et décrocha la cape rouge qui glissa sur le sol.

Une foule de réfugiés se tenaient là, silencieux, les yeux fixés sur les musiciens. Dans l'obscurité, environnés des fines parcelles de cendre qui tombaient autour d'eux, ils ressemblaient à des fantômes.

Nubia, Aristo et Lupus continuèrent à jouer. Flavia entendit des cliquetis.

Certains réfugiés jetaient des pièces de monnaie à l'entrée de la tente.

– Incroyable, murmura Mordecaï, ces gens ont à peine de quoi s'acheter du pain et ils donnent leur argent pour de la musique.

La musique guidait Jonathan sur le chemin du retour. Le son de la flûte était frais et clair : argenté, vert et bleu. Celui de la lyre était doux et chaud : miel, prune et cerise. Enfin, les percussions tissaient les notes des deux instruments en un tapis multicolore. Ce tapis de musique glissa sous ses pieds et le souleva pour l'emporter vers la joie.

Jonathan volait. Il volait sur la musique.

Il volait au-dessus d'une étendue de soie. De soie bleue scintillante parsemée de petits points. Il s'en approcha, c'étaient des bateaux minuscules. Le scintillement bougeait sans cesse.

Ce n'était pas de la soie.

C'était la mer.

La musique l'aidait à rester au-dessus des flots.

Il survola un bateau à la voile rayée de rouge. Sur le pont couraient des enfants. Il survola une immense île verte et dorée, d'où se détachaient deux montagnes, puis de nouveau la mer et il distingua la côte.

À mesure qu'il s'en approchait, elle devenait de plus en plus grise. Il ralentit. Sous lui, s'étalaient une crique bleue, une plage incurvée, des oliviers recouverts de ce qui ressemblait à une neige sale, quelques bateaux, des tentes et des gens, beaucoup de gens. Des gens qui pêchaient, cuisinaient, discutaient. Et au milieu de cette foule... un homme mince et barbu qui ouvrait les pans d'une tente. Son père.

L'intérieur de la tente était sombre, à peine éclairé par quelques bougies et le rougeoiement d'un feu de charbon. Trois personnes jouaient de la musique, son père était assis près d'un garçon aux cheveux foncés, aux joues pâles comme la mort, allongé sur une couche.

Mordecaï courbait la tête, sa longue chevelure grise pendait dans son dos. Il semblait si étrange et si fragile sans son turban.

Flottant au-dessus de cette scène, Jonathan ressentit soudain une terrible frayeur : le garçon allongé, c'était lui.

Il devait retourner dans ce maigre et faible corps.

Mais il n'en avait pas envie. Il aimait survoler les flots et les îles, il aimait la force et la joie qu'il avait ressenties en courant dans le jardin. Son père et les autres le rejoindraient bientôt. À ce moment, ils comprendraient. Ils ne voudraient plus quitter ce paradis.

La musique s'arrêta, les musiciens posèrent leurs instruments.

La voix de sa sœur Miriam s'éleva :

– N'arrêtez pas de jouer, je l'ai vu bouger, la musique le ramène vers nous.

Puis la voix de Flavia :

– Ne meurs pas, Jonathan, tu nous manques, tu manques à Tigris. Reviens…

– Mon Dieu, Seigneur, faites revenir mon fils, pria le père de Jonathan.

Puis il se tourna vers Nubia.

– Joue encore, Nubia, s'il te plaît.

Mais déjà dans son cœur, Jonathan avait répondu oui.

Il ressentit soudain une douleur intense. Il avait chaud, sa tête lui faisait mal, un goût étrange lui emplissait la bouche. Tous se tenaient autour de lui. Trop près. Il manquait d'air. La langue de Tigris était fraîche sur sa joue brûlante. Il sentait le souffle du chien sur sa peau et une main serra la sienne.

Le souvenir de son voyage s'estompa, doucement, comme de l'eau s'écoule d'une tasse fêlée. « Non, cria-t-il dans sa tête, je veux me rappeler. »

Puis il frissonna et toussa et ne ressentit plus rien d'autre qu'une soif inextinguible.

– Il s'est réveillé ! s'écria Flavia. Jonathan s'est réveillé.

Lupus émit un cri de joie, Nubia laissa tomber sa flûte et applaudit. Miriam éclata en sanglots.

– Merci mon Dieu, murmura Mordecaï en se penchant vers son fils. Comment te sens-tu, Jonathan ?

Jonathan ouvrit les yeux avec difficulté, comme si la pauvre lumière des bougies lui faisait mal. Il essaya de parler, mais ses lèvres étaient sèches et craquelées.

– De l'eau. Il a besoin d'eau, dit Mordecaï.

Miriam était déjà près de son frère, la gourde à la main. Elle essuya ses larmes, souleva doucement la tête de Jonathan et approcha la gourde de ses lèvres. Il but puis se laissa retomber sur l'oreiller de soie déchiré. Il marmonna quelque chose.

– Quoi ? lui demanda Mordecaï, que dis-tu ?

– L'eau… elle a un drôle de goût, articula Jonathan d'une voix rauque, goût d'œuf pourri…

– Nous sommes près d'une source thermale, expliqua Mordecaï. Miriam t'a donné de l'eau soufrée. C'est bon pour ce que tu as.

– Le soufre n'est pas bon, murmura Jonathan, c'est le soufre qui a tué Pline…

– Oui, répondit Mordecaï, cette région est pleine de sources soufrées souterraines. Trop de soufre tue, mais à petite dose, c'est très bon pour ton organisme.

– Tu devrais essayer l'eau au fer, s'exclama Flavia, elle te donne la langue toute rouge.

– Et celle au magnésium, elle a goût de crotte de chameau, affirma Nubia.

Jonathan fronça les sourcils.

– Comment tu le sais ? Oh non, ne réponds pas à cette question…

Tout le monde éclata de rire et Flavia lança doucement :

– Bon retour parmi nous, Jonathan.

Nubia s'endormit heureuse cette nuit-là.

Jonathan était sorti de son sommeil de mort.

Il faisait chaud, mais elle était habituée à la chaleur. Et c'était réconfortant pour elle de dormir sur le sable sous une tente. Cela lui rappelait son pays.

Pourtant, et peut-être à cause de ces souvenirs, elle fit de terrifiants cauchemars.

Elle rêva que les marchands d'esclaves revenaient. Ils portaient des turbans qui dissimulaient leurs cheveux et leur visage. Ils avaient tous un œil cruel et un œil blanc et sans vie. Comme Venalicius. Ils lacérèrent la tente à coups de couteau puis l'enflammèrent.

Nubia se réveilla en sursaut, un cri d'épouvante dans la gorge.

Les étoiles, il fallait qu'elle voie les étoiles.

S'enroulant dans sa cape, elle se leva, se glissa hors de la tente.

Et leva les yeux vers le ciel.

Quand Venalicius l'avait emprisonnée pour l'enlever du Monde bleu et l'emmener dans le Monde rouge, la seule vision rassurante et familière avait été les étoiles. Chez Flavia, elle dormait dans le jardin intérieur avec Scuto, protégée par la douce chaleur de l'animal et les constellations au-dessus d'elle.

Mais cette nuit, aucune étoile n'apparaissait dans le ciel. Ce soir, rien ne parvenait à lui rappeler sa maison, son chez-elle. Tout ce qu'elle avait été.

– Tu joues très bien, prononça une voix dans la nuit. De quelle tribu es-tu ?

Nubia crut d'abord qu'elle rêvait encore. La voix avait parlé dans sa langue maternelle !

Puis elle aperçut le blanc éclatant du sourire et des yeux.

– J'étais dans l'ombre et j'écoutais ta musique, elle m'a fait sortir de ma caverne.

– Qui êtes-vous ? murmura Nubia.

– Je m'appelle Kuanto, de la tribu des Chacals, mais ici, on me nomme Fuscus.

– Je ne t'ai pas vu dans le campement.

– Normal.

Sa voix ressemblait incroyablement à celle du frère aîné de Nubia.

– Je suis à la tête d'une bande d'esclaves en fuite, reprit-il.

– Tu es un esclave ! Mais s'ils te trouvent…

Elle frissonna malgré elle. Elle savait que les Romains crucifiaient les esclaves en fuite. Elle ne savait pas exactement ce que signifiait crucifier mais elle savait que c'était atroce.

– Ils ne nous trouveront pas, la rassura calmement Fuscus. Nos maîtres sont morts, enterrés sous les cendres du volcan. Cette catastrophe nous a donné une occasion idéale de recommencer notre vie.

Il s'approcha de Nubia. Si près qu'elle sentit son souffle chaud contre son oreille. Un frisson lui parcourut l'échine.

– Je suis venu te demander de venir nous rejoindre, murmura-t-il, fuis avec nous et tu seras libre à nouveau.

Lupus avait passé des années à dormir dans un cimetière. Il en avait gardé un sommeil très léger. Son ouïe était plus fine que celle d'un lapin, sa vue plus aiguë que celle d'un rapace nocturne. Comme si les dieux avaient amélioré ses sens, pour compenser la perte de sa langue.

Accroupi à l'entrée de la tente, il vit l'homme donner un objet à Nubia. Puis la jeune fille retira une de ses boucles d'oreilles en pierre d'œil-de-tigre et la lui offrit. Lupus entendait chacun de leurs mots, mais ne comprenait pas leur langue.

Quand Nubia revint sous la tente et s'allongea près de Flavia, il avait déjà repris sa place et faisait semblant de dormir.

La respiration de Nubia redevint régulière, mais il resta éveillé, les yeux grands ouverts, le cerveau en ébullition.

Flavia était déterminée à résoudre le mystère des enfants disparus. Mais elle et ses amis étaient si soulagés de la guérison de Jonathan, qu'aucun d'entre eux ne sortit de la tente de la journée. Ils prenaient leur tour pour lui donner à boire de l'eau et de la soupe de poulet tout en lui racontant ce qui était arrivé depuis qu'il était tombé dans ce profond sommeil que Mordecaï appelait le coma.

Le dernier événement que Jonathan se rappelait était la mort de Pline.

–Nous l'avons laissé sur la plage, commença Flavia, et nous avons repris la route. Nous avons marché, marché… Nous sommes allés vers le promontoire et nous avons finalement trouvé refuge dans un des entrepôts à bateau avec des tas de gens. On avait l'impression que le soleil ne se lèverait jamais plus et nous pensions que c'était la fin du monde.

–Puis le soleil est revenu, ajouta Nubia.

–Le jour suivant, reprit Flavia, les marins de Pline et ses esclaves sont retournés sur la plage pour aller chercher son corps. Tascius et Vulcain les ont accompagnés. Ils voulaient retourner à Herculaneum[1] pour essayer de retrouver Clio, ses sœurs et leur mère.

Lupus pencha la tête. Clio et lui étaient devenus très proches et Flavia savait qu'il craignait plus que tout qu'elle soit morte. Elle continua à la hâte.

– Frustilla, la vieille cuisinière, est morte à cause du soufre…

– Comme Pline, l'interrompit Nubia, et presque comme toi.

– Le bûcher funéraire sur la plage a été allumé chaque jour, continua Flavia.

– Des tas de corps échouent sur le sable, commenta calmement Nubia.

Lupus leva ses mains vers le ciel, les doigts en éventail.

– Et ton père ? demanda Jonathan de sa voix rauque.

Le père de Flavia, capitaine de bateau, avait pris la mer, loin de Pompéi deux semaines plus tôt.

– Il doit être en sécurité à Alexandrie[2], prononça-t-elle d'une voix ferme autant pour rassurer Jonathan qu'elle-même. Il ne devait pas revenir avant les ides[3] de septembre.

---

1. La ville d'«Hercule». Située au pied du Vésuve, enfouie sous la lave lors de l'éruption, elle est en partie restaurée aujourd'hui.
2. Port d'Égypte, l'une des plus grandes villes de l'Antiquité.
3. Une des trois dates clés du calendrier romain. Le plus souvent, les ides tombaient le 13. En mai et juillet, elles tombaient le 15.

Elle prit une grande inspiration.

–Jonathan, tu dois te remettre très vite, nous avons un nouveau mystère à résoudre. Deux garçons du campement ont disparu. Ils s'appellent Apollon et Rufus. Ton père pense qu'ils ont été enlevés par des marchands d'esclaves. Nous devons découvrir les coupables et délivrer ces deux enfants avant qu'il ne soit trop tard.

Jonathan fronça les sourcils.

–Oui, murmura-t-il, pendant que je dormais, j'ai fait un rêve. Des enfants étaient en danger. Je ne me rappelle pas grand-chose, mais je sais que c'était important.

Lupus se glissait de tente en tente, à l'écoute de toutes les conversations. Flavia lui avait demandé de commencer à collecter des informations et des indices, pendant que Nubia et elles terminaient leurs corvées. Il savait se rendre quasi invisible et passe-partout. Les gens ne le remarquaient même pas. Pour eux, il n'était qu'un gamin de huit ans vêtu d'une tunique déchirée et qui jouait dans le sable.

Il y avait eu près de deux mille réfugiés dans le campement. La plupart pensaient être condamnés à mort et passaient le plus clair de leur temps à demander à leurs dieux de les épargner ou au contraire de les tuer tout de suite. Mais petit à petit, à mesure que la cendre qui tombait se faisait de plus en plus fine, certains avaient commencé à se dire que la fin du monde n'était peut-être pas encore arrivée. Certaines familles avaient pris la route du nord dans l'espoir de refaire leurs vies. D'autres étaient parties vers le sud pour se rapprocher de leurs amis ou de leurs parents.

Ces deux derniers jours, près de trois cents personnes avaient quitté le campement.

Assis sur le sable, près d'un bateau de pêche, Lupus faisait semblant d'être absorbé par une partie d'osselets. De l'autre côté du bateau, deux pêcheurs réparaient leurs filets en discutant tranquillement. Il ne les voyait pas mais les entendait très bien. Et presque tout le camp s'étalait devant lui. Il observait une famille qui démontait sa tente de fortune faite de couvertures blanches et s'apprêtait à partir. Le père était un homme trapu aux cheveux foncés. Il portait la plupart de ses possessions sur son dos. La mère était vêtue de noir, comme si elle avait été en deuil avant l'éruption. Trois petites filles couraient autour d'eux, la plus jeune devait avoir à peu près l'âge de Lupus.

– Melissa, criait le père, Melissa, nous partons.

Les filles appelèrent à leur tour :

– Melissa !

Ils crièrent pendant quelques instants, de plus en plus inquiets.

– Par Jupiter, jura le père, où est cette gamine ? Je lui avais demandé de ne pas s'éloigner.

Il reposa sans ménagement son sac à dos sur le sable et marcha à grands pas vers la mer. La mère resserra sans s'en rendre compte son foulard sous son menton et les filles écarquillaient les yeux.

Un dialogue à voix basse entre les deux pêcheurs fit dresser l'oreille de Lupus.

– On dirait que Felix a eu de la chance…

– Pauvre gamine, répliqua son ami.

– Moi je ne sais rien, je n'ai rien entendu, reprit le premier sans cesser de réparer le filet.

Peu après midi, Miriam entra dans la tente.

Nubia posa un doigt sur ses lèvres. Jonathan dormait toujours. Les filles avaient rempli les gourdes et les jarres d'eau à la fontaine des thermes. Elles venaient juste d'apporter la dernière.

Miriam était épuisée. Elle avait aidé son père à opérer toute la matinée.

– Nous avons mis un bébé au monde, murmura-t-elle.

Ses yeux violets brillaient.

– C'est tellement merveilleux de voir une vie nouvelle au milieu de toute cette mort.

Elle s'assit sur un des vieux coussins qui venaient de la villa de Tascius et dénoua le foulard bleu qui cachait ses cheveux.

La nuit de l'éruption, une pierre de lave brûlante lui était tombée sur la tête et avait enflammé ses belles boucles brunes. La brûlure était encore fort laide et très rouge. Ses cheveux au-dessus de son oreille droite ne repousseraient sans doute jamais.

Miriam se pencha gracieusement pour prendre un pot d'argile empli d'un baume. Elle en ouvrit le couvercle de ses longs doigts effilés. La première fois qu'elle avait vu Miriam, Nubia l'avait trouvée sans défaut. Mais aujourd'hui, cette beauté était bien endommagée.

Nubia se leva et s'approcha de Miriam.

– Laisse-moi faire, lui dit-elle en prenant le baume.

Elle trempa ses doigts dedans et en enduisit tout doucement la brûlure de Miriam.

– C'est tellement agréable, soupira Miriam.

Elle ferma les yeux.

– Merci, Nubia.

Après un moment, les yeux toujours fermés, elle ajouta :

– Vous allez essayer de retrouver les enfants disparus ?

– Oui, murmura Flavia. Lupus vient de repartir. Il nous a laissé un message. Une nouvelle enfant a disparu. Une petite fille nommée Melissa.

Miriam rouvrit les yeux.

– Lupus a réussi à obtenir un morceau d'un de ses vêtements, continua Flavia. Il est reparti avec Scuto et les chiots. Ils seront peut-être capables de retrouver sa trace à l'odeur. Nous allions partir à notre tour.

– Pauvre enfant, lança Miriam.

Elle referma les yeux. Elle semblait ressentir une grande douleur. Quand Nubia eut fini de lui passer l'onguent sur le crâne, elle s'allongea sur les coussins. Presque aussitôt, sa respiration devint régulière et la tension de son visage se relâcha.

– Tu crois que ses belles boucles reviendront un jour ? souffla Nubia.

Flavia secoua la tête.

– Je ne pense pas. Je crois qu'elle gardera toujours une cicatrice.

– C'est si triste. Sa beauté était d'une telle perfection…

La lumière de l'extérieur pénétra dans la tente. Oncle Gaïus entra et laissa retomber la cape rouge. L'obscurité régna de nouveau.

Les deux filles posèrent un doigt sur leurs lèvres et regardèrent Miriam.

Il acquiesça en souriant. Apparemment, il revenait des thermes. Ses cheveux étaient humides et il sentait l'huile de balsamine et de laurier.

Ferox ouvrit les yeux et agita sa queue. Gaïus s'approcha de lui et s'assit sur le sable. Il caressait la tête de son chien, le grattait entre les oreilles, mais ne quittait pas Miriam des yeux.

Les marques sur le visage de Gaïus disparaissaient peu à peu, mais son nez resterait tordu et le tour de son œil gauche était toujours aussi noir. Pourtant, il y avait tellement d'amour sur son visage que Nubia en eut la gorge nouée. Elle jeta un regard à Flavia qui lui sourit en retour.

Nubia savait qu'elles pensaient toutes les deux la même chose : la beauté de Miriam pouvait être endommagée aux yeux des autres mais pour Gaïus, Miriam serait toujours parfaite.

– Viens Nubia, murmura Flavia, allons voir ce que fabrique Lupus.

Flavia repéra Lupus appuyé contre un palmier, en face de l'auberge de Pégase. L'aubergiste avait sans doute apporté des bols d'eau pour les chiens car ils lapaient avidement en éclaboussant autour d'eux. Lupus vit les filles s'approcher et secoua la tête pour signifier que les chiens n'avaient pas réussi à retrouver l'odeur. Il mâchait quelque chose et essaya de le cacher derrière son dos d'un air coupable.

Mais Flavia avait l'odorat infaillible.

– Hé, Lupus, où as-tu trouvé cette saucisse ?

Lupus eut l'air gêné.

– C'est moi qui la lui ai donnée, lança une voix qui venait du seuil de l'auberge.

L'aubergiste sortit. Petit et mince, les épaules et les genoux maigres, il avait les yeux humides.

– J'ai lu le message de votre ami, expliqua-t-il.

Lupus ouvrit sa tablette[1] de cire et la montra aux filles. Il avait écrit très proprement :

Savez-vous quelque chose à propos des enfants disparus ?

– Nous les cherchons aussi, dit Flavia.

---

1. Rectangle de bois couvert de cire. On trace les lettres dans la cire avec le stylet.

– C'est une bonne action de votre part, estima l'aubergiste qui sentait légèrement le vinaigre, mais vous devriez être prudents si vous ne voulez pas être capturés vous aussi.

Il rentra deux minutes dans l'auberge et revint avec deux autres saucisses.

– Merci, accepta Flavia.

Elle tendit une des saucisses à Nubia et croqua dans la sienne. Elles étaient délicieusement épicées.

– Comment êtes-vous au courant pour les enfants disparus ? reprit-elle, la bouche pleine.

L'aubergiste haussa les épaules.

– Tout le monde est au courant.

Puis il continua à voix basse :

– Et certains ont déjà une petite idée sur l'identité du coupable...

– Qui ? demanda Flavia avidement.

L'homme jeta un coup d'œil alentour.

– Je sais qui vous êtes. Votre oncle a payé pour qu'une pauvre veuve et ses trois enfants puissent loger ici et le docteur soigne les gens gratuitement. Alors laissez-moi vous donner un conseil. Cette partie de l'Italie est loin de Rome. Les choses sont différentes ici. Certaines personnes sont extrêmement puissantes.

Il baissa encore la voix :

– Plus puissantes que l'empereur lui-même.

– Qui ? répéta Flavia.

– Ces hommes de pouvoir sont comme des araignées, poursuivit l'aubergiste. Leurs toiles sont invisibles, ils sont partout et, comme les araignées, ils n'hésitent pas à mordre.

– Mais qui ? demanda Flavia pour la troisième fois.

– Je peux juste vous dire qu'un de ces hommes est riche. Très riche. La plupart des crimes dans toute la région, de Neapolis[1] à Paestum[2], sont d'une manière ou d'une autre liés à cet homme. Ils l'appellent le Patron[3].

L'aubergiste s'humecta les lèvres nerveusement et regarda par-dessus l'épaule de Flavia. Elle se retourna. Deux pêcheurs venaient vers eux.

– Méfiez-vous de l'araignée et de sa toile, murmura le petit homme.

Il agrippa le poignet de Flavia de sa main maigre.

– Autre chose. La rumeur court qu'un groupe d'esclaves évadés rôde dans la région. Vous savez ce qui arrive aux esclaves évadés. S'ils sont repris, leur vie ne vaudra plus grand-chose. Ils sont prêts à tout pour ne pas être attrapés. À tout. Vous comprenez ?

Flavia acquiesça.

– Je dois moi aussi être prudent, dit l'aubergiste en retournant à l'intérieur de la sombre taverne. Mais je vous aiderai si je peux. Je m'appelle Petrus.

---

1. Grande ville du sud de l'Italie, aujourd'hui appelée Naples. Elle domine une baie et s'étend au pied du Vésuve.
2. Colonie grecque située au nord de Sorrente. Site d'un temple grec.
3. Personne riche et puissante qui apporte sa protection à des clients, qui en retour lui rendent différents services.

Ce soir-là, la foule s'agglutina devant la tente avant même que le soleil se couche. Les réfugiés laissaient de l'argent ou des cadeaux : des tranches de pain, des ceintures brodées, des gobelets de bois gravés, quelques figues sèches enveloppées dans des feuilles de laurier ou des poignées d'olives.

– Que se passe-t-il ? demanda Jonathan à Flavia qui revenait des thermes.

Il était assis contre les coussins.

– Pourquoi tous ces gens attendent-ils devant notre tente ?

– Nubia, Aristo et Lupus ont joué de la musique la nuit dernière, expliqua Flavia, pendant que tu étais encore dans le coma.

– Les gens ont plus faim de musique que d'olives, dit doucement Mordecaï, ils veulent nourrir leur âme.

Il se tourna vers Nubia et Aristo :

– Votre musique est aussi importante que les soins que je donne. Acceptez-vous de rejouer ce soir ?

– Bien sûr, acquiesça Aristo immédiatement.

Il sortit la lyre de sa housse de lin. Nubia prit sa flûte sous sa tunique.

– Tiens, remarqua Flavia, cette corde rouge autour de ton cou est nouvelle. Où l'as-tu eue ?

Le cœur de Nubia battit plus fort. Avant qu'elle ait trouvé une réponse, Flavia reprit :

– Oh, c'est un des cadeaux laissés par les gens ! Ne t'inquiète pas, tu peux la garder, tu la mérites.

Miriam se leva gracieusement et ne se contenta pas de décrocher la cape rouge de l'entrée, mais enleva également la lourde peau de chèvre qui pendait sur le côté de la tente. Leur abri était maintenant complètement ouvert sur l'ouest. À quelques pas de là, se tenaient beaucoup d'adultes et d'enfants, les yeux levés vers le soleil rouge sang qui les avait tant terrifiés la veille.

Aristo commença à accorder sa lyre, le silence se fit.

Lupus était allongé sur le ventre dans le coin le plus sombre de la tente.

– Lupus, l'interpella Nubia, joue avec nous.

Lupus essaya de contenir son sourire, mais Nubia savait qu'il était heureux. Son bol à la main, il se leva et vint s'asseoir près d'eux.

La lyre était accordée et Lupus avait posé son bol à l'envers devant lui. Nubia ferma les yeux et porta la flûte de bois de lotus à ses lèvres.

Le soleil disparaissait derrière la mer. Elle commença à jouer.

Flavia adorait cette musique. Elle lui rappelait des jours plus ensoleillés, plus verts, plus heureux. Elle ferma les paupières et laissa la mélodie la ramener à cette époque de bonheur.

Elle ne savait pas depuis combien de temps elle écoutait quand un petit corps chaud atterrit sur ses genoux.

– Oups ! lâcha Flavia, sortie de sa rêverie.

Elle sourit. C'était Julia, toute propre et encore humide, le pouce dans la bouche. Flavia l'entoura de ses bras et la petite fille se blottit plus encore, le dos contre la poitrine de Flavia, la tête sous son menton. La jeune fille embrassa le haut de la tête de l'enfant et sentit le doux parfum qui se dégageait de ses cheveux.

Julia était parfaitement immobile. Flavia referma les yeux et laissa couler ses larmes.

Quand la musique s'arrêta, la nuit était noire.

Il y eut un long silence.

– Non, n'arrêtez pas ! cria une voix dans la foule.

– Une autre ! demanda un homme.

– Aristo on t'aime, lança une jeune fille.

Flavia et Jonathan se jetèrent un regard surpris.

– Attendez !

Un homme vêtu d'une tunique brune apparut dans la lumière des torches.

– Vous avez pleuré avec la musique, proclama-t-il théâtralement, vous allez maintenant rire avec une comédie !

Deux porteurs de torches, un grand et un petit, se placèrent de part et d'autre de l'homme. Le sable fut envahi de lumière.

Flavia ne voyait pas le visage de l'homme car il lui tournait le dos.

– Je suis Lucrio, se présenta-t-il d'une voix forte et claire. Je vous présente Actius et Sorex, célèbres comédiens de renom. Ils vont jouer, pour votre plus grand plaisir, une courte comédie de leur composition : *Les Pirates de Pompéi !*

En prononçant ces derniers mots, il se recula en dessinant dans l'air un grand geste de salut.

Les deux hommes plantèrent leur torche dans le sable et se placèrent au milieu. Ils saluèrent le public, puis les musiciens, Nubia, Aristo et Lupus.

Quand ils redressèrent la tête, Flavia vit qu'ils portaient des masques grimaçants.

Sur ses genoux, Julia se raidit. Puis elle poussa un cri si perçant que les quatre chiens se levèrent d'un bond. Tout le monde dans la tente se tourna vers Flavia. Julia n'avait pas cessé de crier et elle avait caché son visage contre la poitrine de Flavia. Julia commença à sangloter éperdument en bégayant : « Les méchants monsieurs, les méchants monsieurs. »

– Alors c'était comment le spectacle ? demanda Flavia à Jonathan le lendemain matin, pendant qu'ils prenaient leur petit déjeuner sur la plage.

Elle avait passé la plus grande partie de sa soirée à aider les grands-parents de Julia à calmer l'enfant, devenue presque hystérique.

Lupus applaudit pour montrer son enthousiasme.

– Pas mal, approuva Jonathan, c'était l'histoire classique d'esclaves très malins, de jeunes gens riches mais stupides et d'enfants capturés par des pirates. Les deux acteurs jouaient tous les rôles.

– Oh, regretta Flavia, ça avait l'air drôle.

C'était la première fois que Jonathan sortait de son lit depuis qu'il s'était réveillé. Les quatre amis étaient assis au bord de l'eau et regardaient les vagues déposer encore et encore des cendres sur le rivage. Leur petit déjeuner se composait de fromage de chèvre et de pain azyme. Les trois chiens étaient couchés près d'eux.

– C'est difficile à dire parce qu'ils portaient des masques, lança Jonathan, je crois que les acteurs étaient en colère de ne pas avoir gagné autant d'argent que Nubia, Aristo et Lupus.

– Sans doute parce que ce n'était pas le meilleur moment pour présenter cette comédie. Pompéi vient de brûler et des enfants ne cessent de disparaître.

Lupus acquiesça et Flavia jeta un morceau de fromage à Scuto. Il l'attrapa au vol et referma sa mâchoire dans un claquement.

– Jonathan, s'écria soudain Flavia.

– Quoi ?

– Crois-tu qu'ils essayeraient de nous faire passer un message comme l'aubergiste ? S'ils étaient déguisés pour… pour que ce ne soit pas trop flagrant…

– Oui, répondit lentement Jonathan, nous n'avions jamais pensé que des pirates pouvaient enlever les enfants. Mais ça expliquerait pourquoi on ne retrouve aucune trace d'eux.

– Et regarde, reprit Flavia en désignant les deux pêcheurs qui tiraient leur bateau sur le sable, ces bateaux ne cessent de faire des allées et venues et personne n'y prête la moindre attention.

– Qu'en penses-tu, Lupus ? demanda Jonathan. Crois-tu que des pirates pourraient enlever des enfants ?

Lupus serra les lèvres et acquiesça vigoureusement.

Flavia se tourna vers la jeune esclave :

– Nubia ?

Mais les yeux d'ambre de Nubia étaient fixés vers le ciel. Pour la première fois depuis l'éruption, dans le ciel gris, se détachait une pointe de bleu.

– Elle est loin, dit Jonathan, très loin.

– Très bien, proposa Flavia alors qu'ils rejoignaient la tente, voilà ce que nous allons faire aujourd'hui. Lupus, tu surveilles la plage. Tu observes toutes les allées et venues des bateaux. Tu repères tout comportement inhabituel. Jonathan, tu vas aux thermes et essayes d'écouter les conversations.

– Parfait, s'exclama Jonathan, je n'ai pas pris de bain depuis une semaine.

– Je sais, c'est pour ça que j'y ai pensé, lui sourit Flavia. Nubia et moi partons à la recherche des deux comédiens d'hier soir… Par la barbe de Neptune !

Ils s'arrêtèrent net à quelques pas de leur tente. Deux soldats romains, en armure, se tenaient devant la cape rouge. Ils portaient des lances et regardaient droit devant eux.

Flavia regarda ses amis et fit un pas en avant.

Exactement au même moment, les deux lances s'abaissèrent et se croisèrent pour bloquer l'entrée de la tente.

– Hé, protesta Flavia, c'est notre tente.

Regardant toujours droit devant lui, un des soldats grommela :

– Votre nom ?

– Flavia Gemina, fille de Flavius Geminus, capitaine de bateau.

– Eh bien, Flavia Gemina, fille de Flavius Geminus, capitaine de bateau, reprit le soldat dont l'œil brilla un instant. Nous avons ici une personne très importante et vous allez devoir attendre qu'elle sorte.

Un cliquetis d'armure se fit entendre de l'intérieur de la tente et les deux lances se décroisèrent aussitôt. Flavia et ses amis reculèrent. Deux autres soldats sortirent suivis d'un homme au cou de tau-reau et aux cheveux blonds et clairsemés.

Il plissa les yeux à la lumière du soleil, puis regarda Flavia et les autres.

Petit et râblé, il avait un visage aimable et rap-pelait vaguement quelqu'un à Flavia. Oui, c'était ça, il ressemblait à Brutus, le boucher du marché d'Ostia. Mais il était vêtu d'une toge* brodée pourpre que jamais Brutus n'aurait portée.

Puis Flavia, hébétée, remarqua la couronne de laurier d'or sur sa tête, le lourd bracelet de force éga-lement en or à son poignet, et ses sandales ornées de clous en or. Soudain, elle sut pourquoi ce visage lui était familier. C'était le visage du buste que son père avait dans son bureau.

– Vous devez être Flavia Gemina, demanda l'homme gentiment, je vous ai entendue vous pré-senter à mes gardes. Je pense que nous devons être des parents éloignés, je suis un Flavian aussi.

Il tendit sa main pleine de bagues pour qu'elle l'embrasse.

Flavia était sur le point de s'évanouir.

Elle se trouvait devant l'empereur Titus*.

S cuto remua la queue en voyant Flavia se pencher pour baiser la main de l'homme le plus
puissant du monde. À chacun de ses doigts replets,
l'empereur portait des bagues en or et le dos de sa
main était couvert de taches de rousseur.

– Flavia, annonça oncle Gaïus qui sortait de la
tente accompagné d'un grand homme aux cheveux
gris, l'empereur est venu nous porter secours. Il a
apporté de la nourriture, du vin*, des couvertures
neuves et des médicaments. Il désire rencontrer le
docteur Mordecaï.

– Il… il doit être à l'infirmerie, bafouilla Flavia.

Les autres se contentèrent de remuer la tête de
haut en bas, les yeux écarquillés.

– Allons-y, s'exclama l'empereur en sortant un
bras de sous sa toge pourpre.

Les enfants guidèrent l'empereur sur la plage,
vers les colonnes et le solarium. Les chiens savaient
d'expérience qu'ils n'étaient pas autorisés à entrer
dans les thermes. Ils s'assirent à l'entrée, la langue
pendante.

Le solarium était clair et frais. Il possédait un immense vitrail, teinté de vert, qui donnait sur le nord vers la baie.

Miriam, ses boucles ramassées sous un foulard bleu, parlait et riait avec une femme allongée sur un lit. Elle leva les yeux à l'entrée de l'empereur et son visage devint pâle comme un linge. Elle se hâta de redonner le bébé à sa mère.

Elle avait dû être prévenue que l'empereur était dans le camp car elle se dirigea immédiatement vers lui, s'agenouilla et lui baisa la main.

– Magnifique, souffla l'empereur en l'aidant à se redresser.

Puis il fronça les sourcils.

– Votre visage m'est familier, nous sommes-nous déjà rencontrés ?

Miriam leva les yeux vers lui et secoua imperceptiblement la tête.

– Miriam, annonça Gaïus, l'empereur cherche ton père. Il n'est pas à la tente, est-il ici ?

– Il était là il y a quelques instants, bégaya Miriam. Je ne sais pas où il est allé.

– Quel dommage ! s'exclama l'empereur, en tournant majestueusement sur lui-même pour admirer la fresque dessinée sur un des murs et les hauts plafonds bleus. Des rumeurs concernant ses bonnes actions me sont parvenues jusqu'à Rome et je voulais le féliciter et l'encourager en personne.

– Je suis désolée, répéta Miriam en rougissant d'une manière inhabituelle.

– Ce n'est pas grave, ma chère, sourit l'empereur, révélant une rangée de petites dents blanches. Pourquoi ne me feriez-vous pas visiter cet hôpital de fortune pour me présenter quelques-uns de vos patients ? J'adorerais leur parler.

– Bien sûr, répondit Miriam à la hâte.

Elle le mena vers la jeune mère, mi-effrayée et mi-impressionnée, qui serrait son bébé dans ses bras.

Gaïus se tourna vers Flavia.

– Oh, Flavia, je ne t'ai pas présenté Pollius. Je travaille avec lui. Il m'achète plus de vin que n'importe qui d'autre dans la région. Il vit à quelques milles d'ici, à Surrentum.

Flavia regarda l'homme qui se tenait près de son oncle. Elle avait d'abord cru qu'il était vieux à cause de ses cheveux gris, mais son visage était aussi lisse et sans ride que celui d'Aristo. Il n'était sûrement pas plus âgé que Gaïus. Mais le plus saisissant chez lui, ce n'était pas le contraste entre la jeunesse de son visage et ses cheveux gris.

C'étaient ses yeux.

Ils n'avaient pourtant rien de particulier – noirs et un peu trop rapprochés l'un de l'autre – mais quand il les posa sur Flavia, elle ne put réprimer un frisson.

Gaïus fit signe à Miriam de s'approcher. Après un coup d'œil nerveux à l'empereur qui discutait avec la jeune accouchée, elle s'éclipsa et les rejoignit.

Gaïus lui prit la main. Pendant un instant, Miriam et lui se regardèrent comme si rien d'autre au monde n'existait.

—Je te présente ma promise, annonça Gaïus à Pollius. Miriam, je te présente un de mes meilleurs clients[1] : Publius Pollius Felix. Il est un grand ami de l'empereur. Il le guide dans toute la région dévastée.

—Bonjour.

Pollius adressa à Miriam le même regard direct qu'il avait adressé à Flavia. Il parlait d'une voix claire. Flavia l'observa. Il était grand, rasé de près, comme son oncle, et très joli garçon. Mais il dégageait une impression difficile à décrire. L'idée saugrenue qu'il était le véritable empereur et que l'homme à la toge pourpre n'était qu'un imposteur lui traversa l'esprit.

Elle sentit quelqu'un lui tirer sa tunique et se retourna, agacée. C'était Lupus. Ses yeux étaient ronds comme des billes comme s'il voulait lui communiquer une information importante. Il montra la porte du menton.

Jonathan et Nubia la fixaient également.

—Mon oncle, dit Flavia, nous allons essayer de trouver le docteur Mordecaï.

—Très bonne idée, sourit Gaïus.

---

1. À cette époque, personne qui reçoit de l'aide d'un patron et qui lui rend différents services en retour.

Puis il se retourna vers son client.

– Qu'est-ce qui se passe ? souffla Flavia quand ils furent dehors.

Ils remontèrent les colonnades afin de s'éloigner de la portée d'écoute des gardes de l'empereur.

Lupus sortit sa tablette de cire et l'ouvrit.

Les mots qu'il avait tracés dans la cire jaune la veille apparaissaient toujours.

Une fille a disparu. Melissa. « Felix a eu plus de chance. »

– Tu nous l'as fait voir hier. Ce sont les propos des pêcheurs.

Lupus acquiesça vigoureusement.

Jonathan s'éclaircit la gorge.

– Je crois que Lupus veut nous expliquer qu'un homme du nom de Felix est sans doute impliqué dans les enlèvements.

Lupus secoua la tête affirmativement.

– Et ?

– Tu n'as pas entendu ton oncle ? poursuivit Jonathan. Son client s'appelle Felix.

– Par Neptune, s'étrangla Flavia, et Felix signifie chanceux ou… riche.

– L'aubergiste, s'écria Jonathan en portant la main à sa bouche.

Puis il continua dans un murmure :

– D'après l'aubergiste, « la plupart des crimes dans cette région sont liés, de près ou de loin, à un homme très fortuné » !

–Attends, lança Flavia, attends, attends… avant de nous exciter… Felix est un nom assez fréquent…

–C'est vrai, reconnut Jonathan.

–Felix est un nom d'esclave, suggéra Nubia.

–Elle a raison, approuva Flavia, beaucoup d'esclaves sont appelés Felix.

–Mais cet homme n'est pas un esclave, protesta Jonathan, et ça m'étonnerait qu'il soit un affranchi[1]. Vous avez remarqué sa bague en or ?

–Non, mais il doit de toute façon être très riche pour acheter la quasi-totalité de la production de vin de mon oncle.

–Et il est très proche de l'empereur, ajouta Jonathan, il est impossible d'être plus puissant que lui. Pensez-vous qu'il soit celui qu'ils appellent le Patron ?

Flavia prit son temps avant de répondre :

–Je parierais que oui. L'aubergiste a dit : « Cet homme fortuné est presque aussi puissant que l'empereur. » Et c'est le client de mon oncle.

Les quatre amis se jetèrent un regard entendu.

–J'ai un plan, dit lentement Flavia, il ne marchera sans doute pas, mais s'il réussit, ce sera dangereux. Vous voulez essayer ?

Les trois autres acceptèrent sans hésitation.

–Parfait, mais tout d'abord, nous devons vérifier que cet homme est bien celui dont nous parlait

1. Esclave auquel son maître a rendu sa liberté.

l'aubergiste. Attendez-moi ici, et assurez-vous qu'il ne part pas. Je reviens dans quelques minutes.

Flavia courait aussi vite qu'elle le pouvait sur la plage cendreuse entre les tentes et les feux de camp encore chauds.

L'auberge de Pégase n'était pas encore ouverte, car la matinée était à peine entamée, mais Flavia frappa et entra. Une serveuse lui montra la porte d'une réserve fraîche creusée à même la colline, où régnait une odeur de moisi. L'aubergiste était occupé à verser du vin des amphores[1] pour remplir des petites cruches.

La réserve était sombre, mais la lumière était suffisante pour que Flavia voie l'expression de l'aubergiste quand elle lui apprit, avant d'avoir repris son souffle, que l'empereur était sur le campement.

Petrus parut agréablement surpris.

– Il est accompagné du client de mon oncle, ajouta-t-elle, un homme nommé Felix.

– Publius Pollius Felix ? demanda Petrus d'une voix blanche.

Son visage décomposé apprenait à Flavia tout ce qu'elle avait envie de savoir.

---

1. Grand vase d'argile utilisé pour transporter le vin, l'huile et les céréales.

ROULEAU IX

Publius Pollius Felix était toujours dans le solarium en compagnie de Gaïus. L'empereur Titus faisait le tour des malades et des blessés et il était en pleine conversation avec un soldat vétéran avec qui il avait servi en Judée[1].

Aristo et Miriam changeaient le pansement d'un brûlé à l'autre bout de la pièce.

Mordecaï était toujours introuvable.

– Il n'est pas revenu ? demanda Flavia à son oncle en essayant de reprendre son souffle. Nous ne l'avons trouvé nulle part. Il doit être en visite dans une tente.

– C'est fort dommage, observa Felix, l'empereur doit bientôt partir. Je l'accompagne à Stabia, où un bateau de guerre a été affrété spécialement pour le ramener à Rome.

Il se tourna vers Gaïus.

– Je reviens cet après-midi pour aider à distribuer les couvertures et la nourriture. Il me serait fort utile de connaître les priorités.

1. Ancienne province de l'Empire romain. C'est aujourd'hui une région de l'État d'Israël.

– Bien sûr, approuva Gaïus, je vais te préparer une liste… Jonathan… tu ne te sens pas bien ?

Jonathan s'était pris le front de la main et titubait légèrement.

– Ça va, répondit-il faiblement, j'ai… seulement… un peu de mal à respirer.

Et il s'évanouit.

Flavia et Nubia étaient juste derrière lui, elles le rattrapèrent et l'allongèrent doucement sur le sol.

– Il est malade ? s'enquit Felix en s'approchant de Jonathan, l'air inquiet.

– Il est asthmatique, expliqua Flavia. Cet air parsemé de cendres est très mauvais pour lui. Il a failli en mourir. Il n'est sorti du coma que depuis hier.

Le visage de Felix se fit compatissant.

Flavia toussa.

– Ce n'est pas facile pour Lupus non plus. Quand il était plus petit, quelqu'un lui a coupé la langue, ce qui fait que toute la cendre lui tombe directement dans la gorge. Le cou de Nubia est encore abîmé par le collier de fer qu'elle a été obligée de porter, quand elle a été emprisonnée pour devenir esclave.

Flavia toussa de nouveau et désigna ses deux amis, qui se mirent également à tousser.

– Par Jupiter, s'exclama Felix, vous avez enduré de bien grandes souffrances, les enfants.

Jonathan remua, poussa un grognement et papillota des paupières.

– J'ai dit à Jonathan de partir dans un endroit où l'air serait moins nocif pour lui mais il a répondu qu'il ne voulait pas éloigner son père de l'important travail qu'il avait avec les malades.

– Ce garçon est le fils du docteur ? s'étonna Felix.

Flavia le regarda droit dans les yeux et secoua la tête affirmativement. Elle essayait de prendre de son mieux un air naïf et innocent. Felix soutint son regard pendant un long moment et Flavia se demanda s'il n'avait pas percé à jour la supercherie.

Puis il se tourna vers Gaïus.

– Flavius Geminus, mon vieil ami, lança-t-il, tu aurais dû me raconter tout cela plus tôt. J'ai une immense villa non loin d'ici, à Surrentum. Il y a de nombreuses pièces inoccupées. Laisse ta nièce et ses amis venir avec moi pendant quelques jours, le temps que nous aidions les réfugiés.

– Eh bien, bégaya Gaïus, je n'y avais pas pensé. Cela ne te gênerait-il pas ? Quatre enfants et... les chiens.

– Absolument pas, affirma Felix avec un léger sourire, j'ai trois filles, l'aînée doit avoir le même âge que ta nièce. J'insiste pour qu'ils viennent tous avec moi à la villa Limona.

Gaïus hocha la tête.

– Je dois demander son autorisation au père de Jonathan, mais je suis sûr qu'il sera ravi. Merci Pollius Felix, merci beaucoup. Je ne sais pas comment te manifester ma reconnaissance.

Felix posa sa longue main élégante sur l'épaule de Gaïus.

– C'est à cela que servent les amis. Peut-être aurais-je un jour un petit service à te demander à mon tour.

Avant de partir, l'empereur s'installa dans son char et adressa un petit discours écouté en grand silence par les réfugiés. Il avait été commandant dans l'armée et chacun de ses mots était prononcé d'une voix forte et claire.

Près de deux mille réfugiés entendirent les promesses : compensation pour les propriétés perdues, recherche des enfants perdus ou disparus, retour des esclaves en fuite. La promesse en somme que l'empereur les aiderait à reconstruire leur vie.

– Beaucoup d'entre vous sont inquiets pour leurs parents ou amis enterrés sous la lave ou prisonniers sous les décombres, mais sachez que j'ai envoyé une légion entière pour creuser et rechercher toute trace de survivant.

Il y eut un tonnerre d'applaudissements, mais quand ils s'affaiblirent, Jonathan entendit un homme murmurer : « Ils ne retrouveront aucun survivant, ils sont tous morts là-bas. »

L'empereur continua :

– Tous ceux parmi vous qui possèdent des documents prouvant que leur propriété a été détruite par l'éruption, qu'ils ont perdu leur villa, leur terre, leurs animaux ou leurs esclaves pourront les présenter aux scribes officiels dès demain. Si vous n'avez pas de documents, deux ou trois témoins feront l'affaire. Je promets que je ferai tout ce qui est en mon pouvoir pour que vos pertes soient compensées. Même si je dois sortir les sesterces[1] de ma propre bourse.

Cette fois, les applaudissements furent fracassants. Des « Merci Empereur » et des « Que les dieux te rendent ceci au centuple » se firent entendre dans la foule. La plupart des réfugiés pleuraient, mais Jonathan remarqua quelques échanges de regards sceptiques.

– Mon représentant pour cette région, reprit l'empereur, est Pollius Felix.

Il désigna d'un grand geste l'homme aux cheveux gris qui se tenait à ses côtés.

– Il vit à quelques milles au sud et il m'a promis de venir visiter le campement régulièrement. Si vous avez des problèmes spécifiques, des doléances ou des désaccords, parlez-lui en.

Peu après, le char impérial reprenait la route de la côte vers le nord. Les gardes prétoriens suivaient à cheval.

Le poudroiement de cendre grise soulevé par le pas des chevaux était à peine retombé que Mordecaï apparut près de Miriam.

---

1. Pièce d'argent. Un sesterce équivaut à peu près à une journée de salaire.

– Père, s'écria Jonathan, où étais-tu ? Tout le monde t'a cherché partout. L'empereur est venu et il voulait te remercier pour tout ce que tu fais.

– Que Dieu me pardonne, il m'est impossible de voir cet homme en face, soupira Mordecaï. Jamais je n'oublierai ses actes.

– Mais Docteur, protesta Flavia, il a promis de l'aide à tous les réfugiés !

– Il a apporté beaucoup de nourriture et des couvertures, renchérit Nubia.

– Et il nous a dit, a achevé Jonathan, que tu avais rendu un grand service à l'empire. Il veut te récompenser.

Mordecaï regarda son fils.

– Cet homme a le sang de milliers de juifs sur les mains. Y compris celui de ta mère.

– Quoi ? s'écria Jonathan. Comment l'empereur pourrait-il avoir le moindre lien avec la mort de Maman ?

Il était midi et, pour la première fois depuis l'éruption, les rayons du soleil traversaient la couche de cendre et éclairaient le campement. Le petit groupe avait bougé pour profiter de l'ombre des colonnades.

– Il y a neuf ans, commença Mordecaï d'une voix morne, il commandait les légions qui ont détruit Jérusalem. C'est Titus qui a ordonné que le Temple soit incendié. Des milliers de personnes sont mortes lors du siège de Jérusalem. Dont ta mère.

Chacun se sentit mal à l'aise.

– Certains affirment même que c'est pour cela que le Vésuve est entré en éruption. Les rabbins ont toujours prédit que la colère de Dieu s'abattrait sur ce pays, si jamais Titus venait à régner.

– Et moi, je lui ai embrassé la main, murmura Flavia en frissonnant.

Mordecaï lui posa la main sur l'épaule.

– Je ne te demande pas de le haïr. Je t'explique seulement pourquoi il m'est impossible de le regarder en face. Mais je dois apprendre à lui pardonner.

– Non, tu ne dois pas ! s'exclama Jonathan hargneusement, pas après ce qu'il a fait.

Lupus acquiesça vigoureusement.

– Pourtant, si, répéta Mordecaï.

– Pourquoi ?

– Parce que Dieu nous enseigne l'amour de tous, même de nos ennemis. D'ailleurs, tant que je ne lui aurai pas pardonné, soupira Mordecaï en posant son poing sur son estomac, je porterai toujours ma haine pour lui avec moi. Et ça, c'est une terrible chose.

Flavia et Nubia passèrent le reste de leur après-midi à chercher les acteurs, Actius et Sorex, dans le campement. Étrangement, bien que beaucoup de réfugiés aient assisté à la représentation et même jeté de l'argent aux deux hommes, personne ne savait où ils étaient, ni d'où ils venaient.

Jonathan attendit d'être complètement seul dans la tente pour ouvrir la capsa de son père, sa trousse de chirurgien en cuir, et fouilla rapidement parmi les étuis de papyrus[1] qui s'y trouvaient. Il les portait à son nez puis les reposait.

Il trouva finalement celui qu'il cherchait, défit le nœud du ruban qui le maintenait fermé et examina la fine poudre noire. Oui, il était presque sûr que c'était la bonne.

Jonathan portait autour du cou une petite bourse pleine d'herbes. Il l'ouvrit, et glissa l'étui à l'intérieur. Puis il referma la capsa et la replaça à l'endroit exact où il l'avait trouvée.

– Ne me regarde pas comme ça, marmonna-t-il à l'adresse de Ferox. Nous allons dans un endroit inconnu, en compagnie d'un présumé criminel. Une bonne poudre anesthésique peut toujours être utile.

Pollius Felix revint au campement dans le milieu de l'après-midi. Il conduisait une carruca[2] blanche ornée de dessins dorés, tirée par deux chevaux blancs ; il était suivi d'un convoi de cinq carrioles, chacune emplie de couvertures, de figues, de gâteaux, de farine, d'huile d'olive et de vin. Elles étaient conduites par deux soldats qui devaient s'as-

---

1. Matière fabriquée à partir d'une plante égyptienne, utilisée pour confectionner des objets de vannerie, et aussi des feuilles pour écrire.
2. Attelage à quatre roues, en général couvert.

surer que rien ne manquait. Dix esclaves aideraient à la distribution. Et le scribe impérial noterait ce qui serait donné et à qui.

En une heure, les soldats avaient érigé une tente, contre le côté est des thermes et étaient prêts à distribuer les vivres.

– Il est trop tard pour commencer aujourd'hui, dit Pollius Felix à Gaïus. Pourras-tu superviser toute l'opération demain, Geminus ?

– Bien sûr, accepta immédiatement Gaïus, je suis ravi d'avoir une occupation pendant que mes côtes se ressoudent. Ce travail ne sera pas trop harassant.

– Parfait, s'exclama Felix, je reviendrai demain et après-demain pour m'assurer que tout va bien et écouter les doléances. Je dois retourner à Surrentum. Je prends tes quatre enfants avec moi.

Il se tourna vers Flavia.

– Êtes-vous prêts pour le départ ?

Tous acquiescèrent. Ils avaient passé l'après-midi aux thermes et respiraient la propreté. Même les trois chiens avaient été lavés et brossés.

– Il ne nous reste donc qu'à partir, lança Felix en ouvrant la marche vers son élégante carruca.

Le char s'éloigna du campement et les enfants se retournèrent pour adresser un dernier signe à Gaïus, Miriam, Mordecaï et Aristo. Les quatre silhouettes s'évanouirent dans la poussière du chemin et disparurent complètement au premier tournant.

Flavia regarda ses trois amis. Elle sut qu'ils pensaient à la même chose qu'elle.

Si Felix était l'araignée, ils se dirigeaient droit vers sa toile.

ROULEAU X

F elix tenait les rênes. Il avait pourtant avec lui deux esclaves à la peau sombre, musclés, âgés d'à peine vingt ans. Mais il conduisait sa carruca lui-même.

Et il conduisait vite.

Ils avaient à peine quitté le campement que la route devint escarpée. Elle suivait le coteau de la colline et les virages étaient serrés. Tous avaient du mal à se retenir de vomir.

Flavia ressentit cela comme une épreuve. Quand Felix les regardait par-dessus son épaule, elle lui retournait bravement son sourire. Même si elle s'agrippait autant qu'elle pouvait à son siège.

Lupus, quant à lui, était ravi. Ses yeux brillaient de plaisir.

Jonathan était presque vert. Il essayait de ne pas regarder la falaise qui descendait à pic au bord de la route.

Les chiens, allongés, adressaient à Flavia des regards pleins de reproches.

Nubia faisait à peine attention aux vagues qui se fracassaient contre les rochers, au bas de la falaise ; elle ne quittait pas du regard l'aqueduc qui longeait la montagne. Flavia suivit son regard. Avant que la route ne tourne et que la roche couleur miel ne lui cache la vue, elle crut apercevoir trois hommes. Et si elle ne se trompait pas, l'un d'entre eux avait la peau noire.

Ils s'arrêtèrent une première fois au bout d'une heure pour que l'un des esclaves puisse se soulager.

– Profitez-en pour vous dégourdir les jambes, suggéra Felix aux enfants en tendant les rênes à son deuxième esclave.

Il sauta de la carruca et aida Flavia et les autres à descendre. Jonathan et les chiens suivirent l'esclave derrière un buisson de lauriers. Flavia, Nubia et Lupus s'approchèrent du bord de la falaise.

Devant eux, de l'autre côté de la baie, les restes du Vésuve fumaient encore. Tout de suite à son pied, s'étendaient des petites criques et la mer houleuse.

Flavia se rendit compte que ses jambes tremblaient. Elle essaya de se contrôler en serrant les genoux et en fermant les poings. Il était hors de question que Felix s'en aperçoive.

Soudain, il vint se placer près d'elle. Sa présence était si intense que, pendant un instant, tout autre élément autour de Flavia lui sembla irréel. Il lui sourit et lui prit la main.

Flavia leva les yeux vers lui.

– Tends le bras en avant, murmura-t-il, voilà, c'est ça, si tu descends très légèrement ton majeur, tu tombes exactement sur la baie de Neapolis. Tu la vois ?

Flavia acquiesça. Les cheveux de Pollius Felix dégageaient une légère odeur de citron.

– Juste à ta première phalange, tu as le Vésuve, ou ce qu'il en reste… non, non, relâche ta main, de façon à ce que ton pouce se redresse.

Il effleura la fine peau entre le majeur et le pouce de Flavia.

– Nous allons prendre cette route…

Felix passa son doigt parfaitement manucuré sur le pouce de Flavia.

– … Jusque-là, pile à l'endroit du gras de ton pouce. C'est le cap de Surrentum, que certaines personnes appellent le cap d'Hercule. Ma villa est là-bas.

Felix lâcha la main de Flavia et jeta un regard amusé à Lupus qui était assis par terre et laissait pendre ses pieds au-dessus de la falaise.

– Dis-moi Lupus, demanda-t-il, ça te dirait de tenir un peu les rênes ?

Lupus se retourna, les yeux écarquillés de surprise. Puis, le sourire aux lèvres, il acquiesça énergiquement.

– Alors, allons-y ! lança Pollius Felix.

Lupus conduisit la carruca toute la fin du trajet. À un moment, la roue frôla le bord de la falaise et

Flavia ne put s'empêcher de pousser un cri. Jonathan partit d'un rire hystérique.

– Il n'y a qu'une chose à faire pour vous détendre sur ce genre de route, tenta de les rassurer Felix, crier ou chanter.

Il commença lui-même à entonner une chanson populaire : « *Volare* ».

Il chantait à tue-tête pendant que la carriole envoyait des volées de petits cailloux. Ils se mirent tous à l'imiter.

– *Volare, cantare*, Voler dans le ciel bleu pastel, disparaître au-dessus des nuages…

Même Lupus ouvrit sa bouche sans langue et émit des notes de musique.

Quand ils cessèrent de chanter, leurs joues ruisselaient de larmes de rire.

La chanson avait apporté à Flavia un étrange soulagement. Elle ne se souciait plus de la falaise. Elle se sentait immortelle. Pour la première fois depuis l'éruption, elle avait l'impression de revivre.

Le soleil se couchait, Lupus hâta les chevaux sur la route en lacets.

La carruca traversa Surrentum sans ralentir et commença une nouvelle ascension. Le soleil touchait la ligne d'horizon quand les chevaux tournèrent d'eux-mêmes et trottèrent sur un chemin de chaque côté duquel se dressaient de hauts murs de pierre.

Puis les murs laissèrent place à des colonnes. Le soleil couchant les colorait de rouge orangé et la mer continuait d'apparaître de temps en temps derrière les oliviers.

Les colonnades étaient longues d'environ un demi-mille. Elles descendaient vers la mer. Les roues cerclées de fer de l'attelage résonnaient dans l'espace clos.

Quand ils quittèrent enfin les colonnades, l'espace qui s'étendait devant eux dans le silence revenu leur sembla immense.

Le soleil inondait le ciel d'une magnifique couleur cuivrée et juste devant, comme si elle flottait sur l'eau, se dressait la plus belle villa que Flavia avait jamais vue.

Flavia se frotta les yeux et regarda mieux. La villa avait été construite sur une presqu'île reliée à la côte par deux étroites bandes de terre. La carruca s'arrêta et un des esclaves bloqua les roues. Flavia se leva pour mieux profiter de la vue. Il y avait des colonnes, des dômes, des fontaines, des palmiers et des promenades couvertes.

Une piscine d'eau de mer avait été installée entre la villa et la crique presque caverneuse qui bordait la côte.

Flavia descendit de la carruca. Une jeune fille de son âge sortit du bâtiment principal. Ses cheveux étaient longs et dorés et elle portait une tunique du même gris que celle de Felix.

– Pater, Pater, cria-t-elle avec ravissement en se jetant dans les bras de Felix, je suis si contente que tu sois rentré. Je m'inquiétais beaucoup pour toi.

–Mon petit rossignol !

Felix caressa les cheveux de la jeune fille et l'embrassa sur le front. Puis il se tourna vers Flavia et ses amis.

–Je vous présente ma fille aînée, Polla, que nous avons nommée Pulchra. Pulchra, je te présente Flavia Gemina, Jonathan ben Mordecaï et Lupus. Et bien sûr, leurs chiens.

–Et voilà Nubia… ajouta Flavia, mais Pulchra avait déjà pris Nipur dans ses bras et le couvrait de baisers.

–Tu es si mignon, s'exclama-t-elle, on a envie de te manger !

ROULEAU XI

Leda, apporte-moi cette boîte ! ordonna Polla
– Pulchra.

Puis elle sourit à Jonathan.

La fille de Felix leur faisait visiter sa chambre.
La pièce était petite mais magnifiquement décorée
de fresques représentant des Cupidons chevauchant
des dauphins sur fond bleu nuit. La fenêtre donnait
sur le Vésuve de l'autre côté de la baie. Son ruban de
fumée s'élevait, rose, dans le soleil couchant.

– Regarde ça, s'exclama Jonathan en s'approchant de la fenêtre. Regarde la cendre que le volcan
continue de projeter.

– Je sais, soupira Pulchra. Ça recouvre tout.
Leda doit nettoyer la maison deux fois par jour.
Leda ! Ma boîte !

La jeune esclave de Pulchra était mince et pâle
avec de longs cheveux bruns et ternes. Son regard
était morne. La magnifique tunique jaune qu'elle
portait ne parvenait pas à mettre en valeur son teint
maladif. Elle manqua de trébucher en apportant une
petite boîte laquée à sa maîtresse.

– Fais donc attention, lâcha Pulchra d'une voix sévère, en prenant l'objet d'un geste impatient.

Elle ouvrit la boîte et en sortit des colliers et des bracelets pour que Flavia et ses amis les admirent.

– Nubia a de très jolies boucles d'oreilles en œil-de-tigre, dit Flavia, elles lui ont été offertes par… Oh Nubia, tu n'as plus qu'une boucle d'oreille !

– Je sais, répondit calmement Nubia, j'ai perdu l'autre dans le sable près de la tente.

Polla Pulchra ne semblait pas avoir entendu. Elle avait trouvé ce qu'elle cherchait. Elle se tourna vers Jonathan en brandissant une bague en or.

– Regarde ! C'est un rubis véritable. Il vient d'Arabie.

– Il est… euh… gros, commenta Jonathan.

Il n'était pas très sûr de ce qu'elle voulait entendre.

– Cette bague a dû coûter très cher, ajouta-t-il.

Le joli visage de Pulchra rosit de plaisir.

– D'après Pater, elle a coûté au moins mille sesterces ! Je te la donne.

Jonathan la regarda. Il ne la connaissait que depuis dix minutes et elle voulait lui offrir un bijou qui valait une fortune !

La boîte à bijoux tomba soudain du lit. Les chiens s'approchèrent pour renifler les chaînes et les pierres précieuses. L'esclave de Pulchra écarquilla les yeux, horrifiée.

– Tu es vraiment stupide, s'écria Pulchra en se levant.

Elle s'approcha de Leda et la claqua violemment sur le visage.

– Ramasse-les maintenant !

La jeune esclave se mit immédiatement à quatre pattes. Pulchra adressa un sourire malicieux à Jonathan et haussa les épaules. Puis elle prit Nipur dans ses bras et l'embrassa sur la truffe.

– Venez, dit-elle, nous allons être en retard pour le dîner.

– Nous n'allons pas manger avec les autres membres de ta famille ? demanda Flavia en entrant à la suite de Pulchra dans une petite salle à manger bleu ciel qui donnait également sur la baie.

– Non. Pater dîne toujours avec des clients atrocement ennuyeux, et Mater mange généralement dans sa chambre. Mes sœurs et moi avons notre triclinium[1] privé.

Pollina et Pollinilla, les deux petites sœurs de Pulchra, étaient âgées de cinq et six ans. Elles avaient elles aussi des cheveux blonds, mais aucune des deux n'était aussi jolie que son aînée. Leurs esclaves personnelles, pas plus âgées qu'elles, leur lavèrent les pieds et leur apportèrent des serviettes de lin. Puis les deux fillettes s'allongèrent pour manger.

---

1. Salle à manger, garnie de trois divans sur lesquels les adultes s'allongeaient pour prendre leurs repas.

Pulchra choisit le divan central et tapota la place près d'elle.

– Viens t'allonger près de moi, Jonathan. Et vous les filles, ordonna-t-elle à ses sœurs, vous devez partager le même divan pour que Fulvia puisse s'allonger aussi.

– Flavia, rectifia froidement Flavia, pas Fulvia !

Pulchra prit un air horrifié en voyant Nubia s'allonger près de Flavia.

– Non, s'écria-t-elle, tu ne dois jamais laisser ton esclave s'allonger pour manger !

Troublée, Nubia bondit du divan et pencha la tête.

– Mais où va-t-elle s'asseoir ? demanda Flavia.

Pulchra leva les yeux au ciel.

– Tu ne possèdes pas cette esclave depuis longtemps, hein ? Ton esclave doit se tenir debout, derrière ton divan et couper ta viande pour toi.

Flavia était effarée. Mais elle était invitée et ne pouvait guère contredire son hôte. Elle adressa à Nubia un petit signe de tête. Nubia se plaça lentement derrière Flavia et Lupus, qui traînait près de la porte d'entrée, vint s'allonger près de Flavia.

Pulchra éclata de rire.

– Non, non, Jonathan, pour toi, c'est pareil. Ton esclave doit rester derrière toi pendant tout le dîner.

– Lupus n'est pas un esclave, ma chérie.

Pollius Felix venait d'entrer dans la salle à manger, le sourire aux lèvres. La nuit était tombée et il portait une lampe à huile.

– Pater, Pater !

Les petites sœurs de Pulchra se levèrent et se jetèrent dans les bras de leur père. Il posa sa lampe et les embrassa toutes les deux avant de les reconduire doucement vers leurs divans.

Pulchra fit la moue.

– Oh, mais Lupus est si calme et si docile, j'étais persuadée qu'il était l'esclave de Jonathan.

Son père sourit.

– Ce n'est pas parce qu'il est calme qu'il est docile.

Puis il se tourna vers Jonathan.

– Comment te sens-tu à présent ? Ta respiration s'est-elle améliorée ?

Jonathan rougit et toussa.

– Euh, oui, je me sens beaucoup mieux, monsieur. Merci de nous avoir invités.

– Je suis venu pour demander à Lupus s'il acceptait de venir dîner avec nous. Es-tu d'accord, Pulchra ? reprit Felix.

– Bien sûr ! s'exclama Pulchra. Mais tu me laisses Jonathan. Je le veux.

Pollius Felix mena Lupus dans une autre salle à manger à l'étage supérieur.

Ce triclinium ne s'ouvrait pas sur l'extérieur de la villa, mais sur un verdoyant jardin intérieur. Il était deux fois plus grand que la salle à manger des enfants et l'éclairage était plus tamisé. Les murs étaient noirs, éclairés de panneaux de bois rouges et les divans étaient bordeaux et recouverts de coussins. Toutes les lampes à huile étaient en bronze. Une douzaine de paire d'yeux, sombres et méfiants, se posèrent sur Lupus. Les hommes étaient assis ou allongés, ils avaient entre quinze et trente ans environ. La plupart étaient vêtus de tuniques vert d'eau luxueuses et ils avaient coiffé leurs cheveux en arrière.

– Je vous présente Lupus, annonça Felix en posant lourdement sa main sur l'épaule du jeune garçon. Je pressens chez lui un rare courage. Je crois qu'il est des nôtres.

– Pssst ! Jonathan ! Lupus ! Réveillez-vous.

Flavia avait attendu que le plus profond silence règne dans la villa pour rejoindre la chambre de Jonathan.

– Que ? Quoi ? marmonna Jonathan, euh… oui, oui, je suis réveillé.

Il bâilla, ferma les yeux et se blottit de nouveau sous la douce et chaude couverture qui dégageait une odeur étrangement familière.

– Lève-toi, murmura Flavia en le secouant encore. Nous devons établir un plan pour demain.

– Hmmm, d'accord, d'accord.

Jonathan s'assit dans son lit et tira la couverture sur lui. Il était minuit passé et il ne faisait pas très chaud.

Flavia leva sa petite lampe à huile. Elle avait réglé la flamme au minimum. Nubia était à ses côtés, ainsi que Lupus, déjà prêt avec sa tablette de cire, les cheveux ébouriffés.

– Pourquoi Felix t'a-t-il invité à dîner ? lui demanda Flavia.

Lupus fit une grimace d'ignorance et haussa les épaules.

– As-tu appris quelque chose ? s'enquit Jonathan.

Lupus hocha la tête, ce qui signifiait : « pas vraiment ».

– Qui était avec vous ? continua Flavia. Des pirates ?

En prenant sa tablette de cire et son stylet[1], Lupus sourit. Son orthographe n'était toujours pas parfaite, mais il avait beaucoup progressé.

Il montra la tablette à ses amis.

Seulement des hommes, XII* ou XIII.

– Douze ou treize hommes, lut Flavia, des amis à lui ?

Le jeune garçon haussa les épaules.

– Des esclaves ? demanda Nubia.

Lupus secoua la tête négativement.

– Des clients ? suggéra Jonathan.

—————

1. Baguette en ivoire ou en bois, utilisée pour écrire dans la cire.

Pensif, Lupus acquiesça.

– Quoi qu'il en soit, remarqua Flavia, Felix t'aime beaucoup.

Lupus rougit et regarda par terre.

– Peut-être que nous nous trompons à son sujet, lança Flavia en écartant une mèche de cheveux de son visage. Il ne semble pas méchant : il connaît mon oncle, il aide l'empereur à soulager les réfugiés et il a laissé Lupus conduire la carruca.

– Ce qui prouve qu'il est complètement fou, grimaça Jonathan.

– Il est peut-être fou, reprit Flavia en hésitant, mais… je l'aime bien.

– Ce n'est pas un bon endroit, dit Nubia, et ce n'est pas un homme bon.

Ils lui jetèrent tous un regard de surprise. Lupus secoua la tête pour manifester son désaccord.

– C'est ce que nous devons découvrir, prononça lentement Flavia. Lupus, tu restes aussi proche de Felix que possible. Ça ne devrait pas t'être trop difficile. Nubia, tu vas être obligée de rester avec les autres esclaves, profites-en pour essayer de les faire parler. Je suis désolée que Pulchra te traite si mal, ce n'est qu'une sale gamine gâtée.

– Hey, l'interrompit Jonathan, elle n'est pas comme ça !

Flavia ouvrit la bouche puis se ravisa.

– Parfait, Jonathan, il est évident que tu es tout désigné pour garder un œil sur elle. Moi, je vais fouiner un peu partout. Nous devons découvrir un maximum d'éléments en un minimum de temps. Avant qu'il ne soit trop tard. Vous êtes tous d'accord ?

– Je pense qu'ils sont en train de nous diviser, fit remarquer Nubia.

– Ne dis pas de bêtises, rit Flavia, nous avons traversé trop d'épreuves ensemble. Nous nous séparons momentanément pour en apprendre plus. Nous devons résoudre ce mystère et sauver les enfants !

ROULEAU XII

– **B**onjour, souffla une voix douce à l'oreille de
Jonathan.

Jonathan se pelotonna dans les couvertures.
Elles étaient douces, elles sentaient bon. Il aurait
voulu n'avoir jamais à se lever.

– Il est l'heure de se réveiller, chuchota la voix.

Il sentit un pincement à l'oreille.

Il commença par entrouvrir les yeux puis les
écarquilla.

Le visage de Pulchra n'était qu'à quelques centimètres du sien. Jonathan s'assit précipitamment,
essuya la salive qui avait coulé sur son menton et
essaya de ne pas avoir l'air trop endormi. Au pied du
lit, Tigris s'étira et bâilla.

Pulchra portait Nipur dans ses bras et caressait
sa tête soyeuse.

– Regarde, dit-elle, moi aussi, j'ai un chiot !

– C'est le chiot de Nubia ! s'étonna-t-il en passant la main dans ses cheveux bouclés.

– Ne sois pas bête. Les esclaves n'ont pas le droit
de posséder quoi que ce soit. Ils sont eux-mêmes des
choses que l'on possède ! Où est Lupus ?

– Je ne sais pas.

– Fulvia m'a dit qu'elle ne se sentait pas bien aujourd'hui. Ce qui veut dire qu'on peut prendre notre petit déjeuner rien que toi et moi.

– Oh, euh… d'accord.

Jonathan regarda Pulchra et attendit.

Pulchra regarda Jonathan sans bouger.

– Euh… je ne porte pas de vêtements… si tu pouvais…

Pulchra éclata de rire.

– Oh, tu veux que je me retourne ! D'accord.

Jonathan se leva en hâte et sauta dans sa tunique blanc cassé. Elle avait manifestement été lavée pendant la nuit. Elle dégageait la même odeur que la couverture. Il s'aspergea le visage d'eau et s'essuya avec une petite serviette qui avait été mise à sa disposition.

– Ça sent quoi ? demanda-t-il à Pulchra. Je trouve la même odeur partout.

Pulchra lui prit la main.

– Viens, je vais te montrer.

Ils arrivèrent dans le corridor. La matinée était calme et fraîche. Il était encore tôt.

Jonathan suivit Pulchra qui gravissait l'escalier. Ils entrèrent dans un jardin intérieur, entouré d'un péristyle[1]. Il y avait des massifs de jasmins

---

1. Rangée de colonnes autour du jardin ou de la cour.

recouverts de cendre, des grenades et un cognassier et, au milieu, un arbre magnifique aux feuilles foncées et brillantes et aux lourds fruits jaunes. Cet arbre était différent des autres plantes du jardin.

– Pourquoi n'est-il pas recouvert de cendre ?

– Pater a demandé aux esclaves de le recouvrir d'un fin tissu de lin juste après l'éruption du Vésuve, expliqua Pulchra. Et maintenant, ils l'époussettent chaque jour. C'est un des plus précieux trésors de Pater.

Un souvenir douloureux remontait à la mémoire de Jonathan.

– Comment s'appelle-t-il ?

– Certains le nomment le pommier persan, mais Pater dit que c'est un citronnier. Il a appelé la villa Limona d'après cet arbre. Regarde.

Elle cueillit délicatement un fruit et le tendit à Jonathan. C'était lourd, la peau était comme cirée et il remplissait la paume de sa main.

– Enfonce ton ongle dans la peau et respire.

Jonathan obéit. Il porta le fruit à son nez, l'odeur était merveilleuse.

– Un seul citron comme celui-ci coûte cent sesterces à Rome, affirma Pulchra. On en fait de l'huile qui sert à protéger le bois. Avec ses fleurs, on fabrique du parfum. Il sert à tout. Sens-moi.

Elle remonta ses cheveux et tendit son cou vers Jonathan. Timidement, il se pencha vers elle.

– C'est merveilleux ! murmura-t-il.

Inexplicablement, il sentit les larmes lui monter aux yeux.

– Le rêve de Pater, reprit Pulchra en passant sa main sur une des feuilles du citronnier, est de couvrir la colline d'arbres comme celui-ci.

– Où est-il, en ce moment ?

Jonathan essayait de cacher l'émotion qui faisait trembler sa voix.

– Encore parti rendre visite à un de ses ennuyeux clients.

Jonathan porta une nouvelle fois le citron à son nez.

– On m'a dit que ton père était un homme très puissant et que ses clients ne l'étaient pas moins. On a dû se tromper.

Les yeux bleus de Pulchra lancèrent des éclairs.

– Pater est très puissant ! Plus puissant que l'empereur lui-même.

Jonathan haussa les épaules et marcha un peu dans le jardin.

– Si tu le dis.

Pulchra lui prit la main. Il n'y avait personne en vue, mais elle approcha ses lèvres de son oreille.

– J'ai une cachette spéciale que j'utilise pour l'espionner. Tu veux que je te montre ?

Jonathan n'avait jamais vu des yeux si bleus. Il accepta.

Lupus se frayait prudemment un chemin le long de l'allée qui menait à la piscine d'eau de mer. La villa Limona se trouvait à plus de vingt milles du Vésuve, pourtant même ici, une fine couche de cendre recouvrait les rochers et les fleurs sauvages.

Il s'arrêta en s'apercevant soudain que sur l'allée elle-même, il n'y avait pas la moindre parcelle de cendre. Ce qui ne pouvait signifier qu'une chose : elle était fréquemment utilisée.

Il haussa les épaules. Peut-être n'y descendait-on que pour se baigner… Mais la fille de Felix avait parlé de thermes privés à l'intérieur de la villa…

Une petite barque était accostée sur la rive. Elle avait juste la taille pour se glisser sous l'arche qui séparait la piscine de la mer.

Lupus regarda autour de lui. Il était seul. Il ôta sa tunique, la cacha derrière un buisson de laurier et avança dans l'eau. Au bord, l'écume était pleine de cendre et de morceaux de pierre de lave, mais plus loin, la surface de la mer était parfaitement claire. Il se glissa dans l'eau.

Le froid lui coupa la respiration, pourtant il se sentait revivre. Il avait appris à nager avant de savoir marcher.

Il se dirigea droit vers l'arche.

– Chut, j'ai entendu un bruit. Quelqu'un arrive ?

Flavia cherchait des indices dans la chambre de Pulchra. Nubia faisait le guet à la porte. Elle se pencha avant de se tourner vers Flavia. Non, personne n'approchait.

Flavia ferma la boîte à bijoux et la reposa sur la petite table de bronze à côté de peignes d'ivoire, d'épingles à cheveux, de bouteilles de parfum colorées et d'un miroir en bronze poli.

Il y avait également une fine baguette. Flavia fronça les sourcils et la prit pour l'observer de plus près. Elle semblait être faite en saule ou en bouleau et elle était taillée en pointe. Elle collait un peu. Flavia haussa les épaules et la replaça exactement où elle l'avait trouvée.

Elle se retourna pour examiner la chambre : un lit avec des couvertures bleu foncé, une lampe en bronze, et un tabouret en bronze et en cuir. Une grande armoire de cèdre était appuyée contre le mur près du pied du lit. Flavia s'en approcha, défit la lanière des rideaux et les ouvrit.

Elle hurla.

Dans l'armoire était pelotonnée la petite esclave de Pulchra.

Le ventre rentré, Jonathan suivait Pulchra entre deux cloisons. Ils avaient laissé les chiots dans le jardin près du citronnier et Pulchra avait entraîné Jonathan sous des portiques. Ils avaient ensemble traversé des chambres, la cuisine pour arriver dans une espèce de réserve garde-manger.

– Par ici, murmura Pulchra sans cesser d'avancer. Je ne vais bientôt plus pouvoir passer.

Une semaine plus tôt, Jonathan n'aurait pas pu se faufiler mais il avait passé trois jours dans le coma, sans aucune nourriture et avait très peu mangé depuis. Il n'avait jamais été aussi mince.

Ils atteignirent enfin un endroit où étaient percés de petits trous entre les briques. Pulchra lui en désigna un sans un mot. Jonathan approcha son œil et vit une vaste pièce, un tablinum[1]. Il aperçut le dos de deux hommes musclés appuyés contre une colonne. Près d'eux, se tenait un petit homme vêtu d'une tunique brun clair. Derrière lui, Jonathan distinguait un morceau de table et une fresque sur le mur.

Au bout d'un moment, un des hommes musclés bougea légèrement et Jonathan put voir le père de Pulchra assis à la table.

Un scribe vêtu d'une tunique jaune était installé à ses côtés.

Pollius Felix, appuyé contre le dossier de sa chaise, écoutait l'homme à la tunique brune. Le soleil entrait par une ouverture, dardant ses rayons sur le visiteur. Le visage de Felix restait dans l'ombre.

– S'il te plaît, Patron, rends-moi ce service, plaidait le petit homme.

Sa voix était étouffée mais parfaitement audible.

– C'est terrible ! Ma petite Maia a disparu. Pendant dix ans, je t'ai apporté la première récolte

---

1. Pièce servant de bureau, dans les maisons romaines.

d'olives et la première huile que nous pressons. Je ne t'ai jamais rien demandé en échange, sauf ta protection. Mais aujourd'hui, je te demande de me la retrouver, de me la ramener et de punir les hommes qui me l'ont prise.

Felix se leva et fit le tour de la table. Il portait une toge blanche sur une tunique bleue. Il s'approcha de l'homme, le prit dans ses bras, puis le tint à distance sans le lâcher. Il était évident pour Jonathan que l'homme était un paysan. Sa peau tannée en témoignait.

– Rusticus, commença Felix, tu as eu raison de venir me voir. Je vais retrouver ta petite Maia et je punirai ceux qui l'ont enlevée. Raconte-moi ce qui t'est arrivé.

– Mon plus jeune fils, Quintus, a tout vu, bégaya le fermier. Il jouait à cache-cache avec Maia dans l'oliveraie quand les hommes sont arrivés.

Sa voix se brisa.

– Maia a entraîné les hommes loin de la cachette de son petit frère pour qu'ils ne le trouvent pas.

L'homme renifla et Felix fit signe à un de ses hommes. Un instant plus tard, un esclave apparaissait dans le champ de vision de Jonathan, une coupe de vin à la main.

– Bois ceci, dit Felix.

Le fermier vida la coupe et frissonna.

– Pardon, Patron.

– N'aie pas honte de tes larmes, l'interrompit Felix. Un homme, un vrai, n'a jamais peur de pleurer pour sa famille. Dis-moi. Que peux-tu me raconter de plus sur ces hommes ? As-tu un indice qui permettrait de les identifier ?

– Je ne suis pas sûr. Mon garçon Quintus a beaucoup d'imagination, mais je ne crois pas qu'il ait inventé…

– Continue, l'encouragea calmement Felix, le bras toujours passé autour des épaules de l'homme.

– Quintus affirme que les hommes qui ont enlevé Maia portaient des masques, comme ceux que les comédiens portent au théâtre. D'horribles masques grimaçants.

ROULEAU XIII

Lupus arrêta de nager et se mit sur le dos pour se laisser flotter au gré des vagues. Il regarda la villa Limona. L'entrée du port secret par lequel il était descendu se baigner était pratiquement invisible.

La villa était construite sur quatre niveaux. Il apercevait une rangée de colonnes qui menaient à sa chambre. Sur le sol de l'étage supérieur, une colonnade plus large se dressait. Les colonnes en étaient cannelées et leur base était peinte en rouge.

Avec ses différents niveaux, la villa Limona ressemblait à un petit village. Plus loin, il voyait la colonnade couverte sous laquelle il était passé la veille avec la carruca. Elle était entourée d'oliviers verts et argentés, recouverts de cendre. Derrière les oliviers, s'étendaient les coteaux gris-vert, puis les montagnes rugueuses. Le soleil se levait tout juste.

Lupus commençait à avoir froid, mais ce petit repos dans les vagues l'avait revigoré. Tournant le dos à la villa, il se remit donc à nager loin de l'entrée du port secret.

Des esclaves de Felix gravissaient les rochers, de l'autre côté. Les filets qu'ils portaient sur le dos étaient pleins de poissons brillants. Lupus s'arrêta de nouveau.

Près des rochers, une jetée en pierre s'avançait dans la mer. Un bateau aux formes effilées y était amarré. Il avait un mât, des voiles et des emplacements pour dix rames de chaque côté. Il était léger et étroit, sans doute rapide. Une avancée de terre le protégeait des vents.

Plus loin, la côte devenait plus sauvage. Lupus vit une petite plage. La falaise était percée d'une multitude de grottes, certaines à demi immergées.

Soudain, un éclair de couleur attira l'attention de Lupus. Un bateau était caché dans une des grottes. À tout autre moment de la journée, il aurait été impossible à repérer, surtout à cette distance. Mais la lumière rasante du matin rendait la mer très claire et soulignait la coque foncée.

Flavia et Nubia regardaient, horrifiées, la jeune esclave pelotonnée dans l'armoire. Et elle les observait aussi avec de grands yeux terrifiés. Elle était couchée sur le côté, les genoux ramenés sous le menton. Ses paupières étaient rouges et gonflées d'avoir trop pleuré.

Flavia ne se rappelait pas le prénom de la fille mais Nubia, elle, ne l'avait pas oublié. Elle tendit la main.

– Viens, Leda, murmura-t-elle.

Leda secoua la tête.

– Je ne peux pas. Elle me battra encore plus, si je sors.

– Elle sait que tu es là ? s'exclama Flavia.

Leda acquiesça.

– C'est là qu'elle me met quand je fais une bêtise.

Le nez de la jeune esclave coulait, Flavia lui tendit un mouchoir. Leda ne fit pas un mouvement pour le prendre. Elle le regarda comme si elle n'en avait jamais vu.

– Ne t'inquiète pas, la rassura Flavia, tu peux te moucher avec et tu peux le garder.

– Non, pleura Leda, elle dira que je l'ai volé et elle me battra.

Flavia et Nubia étaient désemparées.

– S'il te plaît, sors de là, insista Flavia, je m'assurerai moi-même que tu ne seras pas punie.

– Demain ou dans une semaine, vous serez parties et à ce moment, elle me battra encore plus fort.

Flavia s'agenouilla au pied de l'armoire de cèdre, de façon à être au même niveau que l'esclave.

– Leda, chuchota-t-elle, je vais parler à Pulchra. Je te promets d'essayer d'améliorer ta condition. Ne t'inquiète pas.

Elle posa sa main sur l'épaule de la jeune fille qui gémit.

Flavia sentit un frisson glacé lui parcourir le dos. Elle se redressa et se pencha pour examiner le dos de l'esclave. À un ou deux endroits de sa fine tunique de lin jaune, s'étalaient des taches de sang frais. Là où Pulchra avait vigoureusement frappé avec sa baguette de saule.

L'estomac de Jonathan gargouillait bruyamment. Il avait l'œil collé à son observatoire depuis plus de deux heures. Il jeta un regard contrit à Pulchra qui lui sourit et lui fit signe du menton qu'ils pouvaient partir. Mais au moment où il s'apprêtait à retourner vers la cuisine, elle lui attrapa le poignet. Il se retourna.

Elle lui montra le trou dans la brique avec de grands yeux.

Jonathan se remit en position.

L'élégant profil de Felix se détachait sur la lumière matinale.

Un homme immense et affreusement laid s'approcha de lui. Il portait une tunique vert émeraude de la taille d'une voile de bateau. Ses rares cheveux étaient plaqués sur son crâne en une imitation ridicule de la coiffure des jeunes hommes qui l'entouraient. Ses cuisses étaient si massives qu'elles frottaient quand il marchait. Pourtant, il n'était pas gras. C'était une montagne de muscles, à la large poitrine et aux bras huilés. Son nez avait été cassé au moins deux fois et ses oreilles gonflées ressemblaient à des choux-fleurs.

Il se courba devant Felix, se laissa tomber sur les genoux et lui baisa la main avec ferveur.

De retour dans le triclinium bleu ciel, Jonathan demanda à Pulchra :

– C'était qui, cet énorme type ?

– Je pourrais te raconter des tas d'histoires sur lui.

Pulchra plongea un morceau de pain dans un pot de miel liquide et le porta à sa bouche.

– Il s'appelle Lucius Brassus. C'est un des soldats les plus courageux de mon père.

– Pourquoi parles-tu de soldats ?

– J'ai dit soldat ?

Pulchra rit.

– Je voulais dire client, bien sûr… Oh bonjour Fulvia. Tu arrives juste à temps pour le petit déjeuner.

Flavia et Nubia se tenaient dans l'encadrement de la porte, Scuto à leur suite. Le visage de Flavia était pâle comme un linge.

– Tu n'as pas l'air en forme, s'exclama Pulchra, et tu as vu tes cheveux ? Tu devrais demander à Leda de te les recoiffer.

– Qu'est-ce qu'ils ont, mes cheveux ? demanda Flavia en se passant machinalement la main sur la tête.

– Rien, dit Jonathan, ils sont comme d'habitude.

– Oh ! lâcha Flavia.

Jonathan fut surpris de la colère froide qu'elle affichait. Pulchra ne remarqua même pas ; elle faisait lécher du miel sur le bout de son doigt à Nipur.

Jonathan regarda ses amies avec insistance. Il voulait savoir ce qui se passait.

Flavia prit une grande inspiration et secoua doucement la tête. Elle reprit des couleurs.

– Pulchra, commença-t-elle d'une voix douce. J'aimerais beaucoup que Leda s'occupe de mes cheveux. Tu as parfaitement raison. Je ne peux décemment pas me montrer en public avec cette coiffure. D'ailleurs, où est Leda ?

Flavia regarda autour d'elle innocemment.

– Elle est dans l'armoire en cèdre de ma chambre, répondit-elle sans même lever les yeux. Tu n'as qu'à lui demander de te coiffer comme moi. Et puis après, dis-lui de venir.

Lupus remettait sa tunique et plaquait ses cheveux mouillés en arrière, quand il entendit des voix.

Des gens descendaient le chemin.

Il se cacha rapidement derrière un buisson de laurier, heureux d'avoir choisi une tunique verte. Il se fit aussi immobile et aussi silencieux que possible.

– C'est quoi déjà son nom ? demanda un des hommes.

– Maia, Maia Rustica. Elle a neuf ou dix ans.

La seconde voix était très grave. Lupus était presque sûr de l'avoir entendue au dîner la veille au soir.

– Je ne vois pas pourquoi cette affaire est si urgente, reprit le premier homme.

Lupus entendit un frottement et un bruit d'eau. Ils mettaient la barque à l'eau.

– En plus, continua l'homme, maintenant qu'elle sait pour les autres, elle pourrait tout gâcher.

– Son père Rusticus vit sur la colline, expliqua l'homme à la voix grave, c'est un des clients du Patron. Ils n'auraient jamais dû prendre une gamine si près d'ici. Mon frère et ses amis se sont comportés comme des crétins. On m'a rapporté qu'ils avaient joué une pièce de théâtre au cours de la dernière soirée qu'ils ont passée au campement des réfugiés. Tu te rends compte. Ils ont manqué tout gâcher pour quelques pièces. Enfin de toute façon, ramène-moi la gamine !

– Je ne vois toujours pas ce que ça va nous apporter, grommela le premier homme.

Il y eut un craquement et le bruit des rames qui plongeaient dans l'eau.

– Je lui parlerai, répondit l'homme à la voix grave, elle est de la région et elle sait ce qu'elle risque si elle parle.

– D'accord, lança le premier homme, je reviens dans une heure.

– Je t'attends.

Lupus se rappela soudain son nom. Crispus, un homme musclé aux cheveux noirs, mal rasé, avec de longs cils. La veille, il avait raconté une histoire drôle sur deux marchands grecs et une olive.

Il était également le bras droit du Patron.

ROULEAU XIV

Lupus poussa un soupir de soulagement en entendant Crispus remonter l'allée. Il compta jusqu'à cent, se redressa doucement tout en regardant autour de lui à travers les feuilles du laurier. Personne en vue. Il reprit l'allée tout naturellement comme s'il revenait d'une promenade matinale.

Il réfléchissait à toute vitesse. Les comédiens du campement étaient donc les enleveurs d'enfants. Mais qui était Maia ? Comment pouvait-elle tout gâcher ? Et qui était le frère de Crispus ? Il devait parler à Flavia et aux autres. Il passa devant les colonnes de marbre du jardin. Il n'était que trois heures après l'aube et il faisait déjà chaud.

Il s'aperçut soudain qu'il s'était trompé. Il était à l'étage supérieur.

Il regarda le paysage un instant. Profitant de la brise fraîche qui soufflait dans ses cheveux.

– Bonjour, l'interpella une voix douce, qui es-tu ?

Lupus se retourna. Assise sur une chaise près d'une colonne, une jolie femme vêtue de bleu pâle le regardait. Lupus ouvrit sa tablette de cire.

Je m'appelle Lupus, je ne peux pas parler.

– Je suis désolée, dit la femme en lui souriant gentiment, s'il te plaît, assieds-toi et tiens-moi compagnie.

Elle tapota le siège qui se trouvait à côté d'elle.

Lupus n'hésita pas longtemps. Flavia voulait tout savoir à propos de Felix. Cette femme possédait peut-être des informations. Il s'assit sur le confortable fauteuil en osier paré de coussins de lin jaune.

– Tu dois être un des nouveaux protégés de mon mari, suggéra la femme. Il les recrute de plus en plus jeunes. Quel âge as-tu. Huit ans, non ?

Lupus acquiesça.

La femme sourit.

– Je m'appelle Polla Argentaria. La femme de l'homme le plus puissant de l'Empire romain. D'après ce que l'on dit. Un homme qui inspire peur ou dévotion. Parfois les deux.

Elle lança un coup d'œil à Lupus.

– Je vois bien que tu fais partie de ceux qui lui sont dévoués corps et âme. Comment s'y prend-il ? murmura-t-elle comme pour elle-même. Comment parvient-il à gagner si facilement les cœurs ?

Lupus l'observa : elle avait des pommettes hautes et des sourcils bien dessinés.

– Je suppose, reprit-elle, le regard dans le vague, qu'il sait te donner l'impression d'être la personne la plus importante du monde… Mais à l'instant précis où tu crois qu'il est à toi, tu lui appartiens.

Lupus tourna la tête. Le temps de se reprendre et d'empêcher son cœur de battre la chamade. Quand il la regarda de nouveau, elle était endormie. Il se leva doucement pour éviter de faire craquer l'osier du fauteuil.

Alors qu'il s'éloignait, un point sur la mer attira son attention. C'était une petite barque qui se dirigeait vers les grottes.

Il devait retrouver les autres. Et vite.

Leda sortit de l'armoire de cèdre pour coiffer Flavia. Mais avant qu'elle commence, elle laissa Flavia et Nubia appliquer un baume sur les plaies de son dos.

Il ne fallut pas plus de dix minutes à l'esclave de Pulchra pour arranger les cheveux de Flavia. Elle les releva en un élégant chignon, retenu par des épingles d'ivoire.

– Tu es très douée, s'exclama Flavia, en se regardant dans le miroir de bronze de Pulchra.

Leda rosit et Flavia se douta que c'était la première fois qu'on lui adressait un compliment.

Lupus retrouva ses amis dans le jardin intérieur. Ils admiraient un arbre. Pour lui, à part ses étranges fruits jaunes, c'était un arbre comme les autres.

Il attendit que Pulchra lui tourne le dos pour faire signe à Flavia qu'il avait d'importantes nouvelles à lui communiquer.

Flavia regarda Pulchra et haussa les épaules. Comment parler, puisqu'elle les accompagnait partout ?

– ... et ça coûte un million de sesterces, était-elle en train de se vanter une fois de plus.

Flavia cherchait une idée pour se débarrasser d'elle. Soudain, elle fixa le flanc de la colline.

– C'est quoi, ça, dans les vignes ? demanda-t-elle à Pulchra. On dirait un petit temple.

– C'est un ancien lieu de prière dédié à Dionysos, le dieu du vin, répondit Pulchra fièrement. Bien sûr, nous possédons toutes les terres alentour.

– Pourrions-nous y aller ? Dionysos est mon dieu préféré.

Lupus n'avait jamais entendu Flavia mentionner Dionysos auparavant.

– Je ne sais pas, hésita Pulchra, je ne me déplace jamais à pied et le chemin n'est pas praticable avec une litière.

– J'adorerais aller me promener avec toi, s'exclama Jonathan en arborant son plus charmant sourire. Je parie que, de là-bas, la vue est magnifique.

– Nous pourrions nous préparer un pique-nique, proposa Flavia.

– On veut y aller, on veut y aller, se mirent à crier en chœur les petites sœurs de Pulchra, un pique-nique ! un pique-nique !

– Ne dites pas n'importe quoi !

Pulchra leur donna une tape sur les cheveux.

– Vous êtes trop petites. Vous seriez trop fatiguées.

Elle se retourna vers Flavia, Nubia, Jonathan et Lupus :

– Attendez-moi ici, je vais dire au cuisinier de préparer le pique-nique. Viens Leda !

Pulchra s'éloigna à grands pas vers la cuisine, ses deux petites sœurs sur les talons.

Quand elles eurent disparu, les quatre amis formèrent un cercle.

– Il faut faire vite, avant qu'elle revienne, les pressa Flavia. Qui a des informations ?

Lupus commença à écrire sur sa tablette de cire.

– Pulchra m'a emmené espionner son père, chuchota Jonathan, les yeux brillants. Nous l'avons observé avec ses clients pendant près de deux heures. Il donne de l'argent ou des conseils aux gens qui viennent le voir et eux lui baisent la main en l'appelant Patron. Un de ses clients s'appelle Lucius Brassius. Il est aussi grand que le phare d'Ostia.

Jonathan reprit son souffle et continua avant que Flavia ait eu le temps de l'interrompre.

– Il a promis à un de ses clients de retrouver sa fille. Elle a été enlevée hier.

Dès que Jonathan eut fini de parler, Lupus montra sa tablette.

Flavia se tourna de nouveau vers Jonathan.

– Cette petite fille, elle ne s'appellerait pas… Maia par hasard ?

Jonathan était stupéfait.

– Comment le sais-tu ?

Flavia montra Lupus du menton. Sur sa tablette, il avait inscrit :

Maia, IX ou X. Enlevée.

Elle sera dans peu de temps amenée à la crique.

J'y vais pour essayer de découvrire d'autre éléments.

Nubia hissa le panier de pique-nique sur son épaule. Leda et elle se partageaient toute la nourriture et les gourdes. Ce n'était pas particulièrement lourd, mais Nubia avait choisi le panier car elle avait peur que les lanières ne blessent davantage le dos de Leda. Elle remarqua également que la jeune esclave marchait pieds nus.

Pulchra, elle, avait chaussé de très élégantes sandalettes de cuir, tout à fait inappropriées. À chaque fois qu'elle glissait, elle poussait un cri et s'accrochait à Jonathan. Elle décida assez rapidement qu'il valait mieux ne plus lui lâcher la main.

Quand ils arrivèrent au temple, ses boucles blondes pendouillaient sur son front, collées par la sueur.

– Par Junon[1], s'étrangla-t-elle, Leda, donne-moi de l'eau.

1. Reine des dieux romains, femme de Jupiter.

Les chiens avaient commencé par gambader à droite, à gauche, reniflant à tous vents. Mais la chaleur les avait rapidement exténués. Ils se laissèrent tomber sur le sol, haletants, à l'ombre de trois vieux ifs.

Nubia jeta un regard autour d'elle. La vue s'étendait à des lieues à la ronde. Le coteau couvert d'oliviers descendait jusqu'à la villa Limona. Elle voyait les dômes des thermes, les colonnades couvertes et le jardin dans lequel ils avaient pris leur petit déjeuner. Elle aperçut également le port secret. Un petit bateau apparut près de l'arche. Il y avait deux personnes dedans.

Puis ils disparurent de son champ de vision.

– Peut-on entrer à l'intérieur du temple ? demanda Flavia.

– Non, c'est fermé, affirma Pulchra en tendant la gourde à Leda sans même la regarder.

Le temple était en marbre rose et crème. Ils grimpèrent trois marches, passèrent quatre colonnes et s'arrêtèrent devant la porte de bronze. Pulchra tourna la poignée et Jonathan appuya son épaule de toutes ses forces. La porte était lourde, mais elle s'entrouvrit en grinçant. Ils entrèrent tous, sauf Leda.

C'était un petit temple, à peine éclairé par des fenêtres minuscules placées en hauteur. L'air y était frais. Une odeur de renfermé, d'encens et de vin y régnait. Des fresques représentaient des dauphins.

Au milieu, se trouvait une statue de Dionysos, sous la forme d'un jeune homme au sourire étrange. Ses lèvres étaient rouges et ses yeux cernés de noir. Il portait autour du cou une guirlande si vieille qu'elle était toute brune.

Flavia regardait les murs.

– C'est bizarre, pourquoi des dauphins ?

Nubia aperçut une énorme araignée sur la cuisse de la statue. Elle frissonna et allait se retourner quand un éclat doré au pied de Dionysos attira son attention.

Pendant que les autres observaient les dauphins, elle ramassa rapidement l'objet. Elle referma ses doigts dessus. Son cœur battait la chamade.

C'était la boucle d'oreille œil-de-tigre qu'elle avait donnée à Kuanto.

ROULEAU XV

Les enfants s'installèrent à l'ombre des ifs et ouvrirent le panier de pique-nique. Nubia réfléchissait à toute vitesse.

– C'est vraiment étrange de trouver ce genre de chose dans un temple dédié à Dionysos, remarqua Flavia en débouchant la gourde.

Le cœur de Nubia cessa de battre. Flavia l'avait-elle vue ramasser la boucle d'oreille ?

– Les dauphins n'ont rien à voir avec le dieu du vin, continua Flavia, des satyres, je veux bien, des nymphes en train de danser, d'accord, mais des dauphins !

Nubia laissa échapper un soupir de soulagement et regarda de nouveau son repas. Le cuisinier avait enveloppé dans six serviettes une sélection de mets délicieux : des feuilles de vigne farcies, du poulet froid, de grosses olives violettes, du gâteau aux figues et du pain blanc.

Pendant que les autres ouvraient leur serviette, Nubia glissa la boucle d'oreille dans la bourse de cuir qu'elle portait à la ceinture. Puis elle prit un morceau de poulet tout en observant les vignes et les arbres alentour.

Kuanto lui avait dit que, quand il serait temps, il laisserait la boucle d'oreille à un endroit où elle pourrait la retrouver.

Il l'avait sans doute suivie. Elle ne lui avait parlé qu'une seule fois dans le campement, trois jours auparavant. Il faisait si sombre ce soir-là qu'elle ne savait même pas à quoi il ressemblait. Peut-être était-il en train de l'épier à ce moment précis.

Elle examina les arbres, cherchant le signal.

Soudain, elle l'aperçut. Une cordelette rouge accrochée à la branche d'un if, plus haut sur la colline. Nubia se força à manger un autre morceau de poulet, malgré son excitation.

— Ces feuilles de vigne sont délicieuses, remarqua Flavia, elles sont faites avec quoi ?

— Pois chiches, poivre et jus de citron, répondit Pulchra en croquant la sienne à moitié avant de glisser l'autre moitié dans la bouche de Jonathan.

— Mmmm, articula Jonathan, la bouche pleine. Un peu acide mais délicieux.

Flavia déroulait sa feuille de vigne pour en examiner le contenu quand Nubia se leva doucement.

— Tout va bien, Nubia ? s'étonna Flavia.

— J'ai un peu mal à l'estomac, murmura Nubia, je vais derrière les buissons.

Flavia retourna à la dissection de sa feuille de vigne.

Nubia jeta un coup d'œil par-dessus son épaule en se dirigeant vers l'if. Tout allait bien, les autres étaient concentrés sur leur repas. Tous sauf Nipur, qui bâilla, s'étira et la rejoignit en remuant la queue.

Lupus, du flanc de la colline qui surplombait la villa Limona, regardait la petite fille qui descendait de la barque.

Crispus l'attendait, en faisant les cent pas. Quand elle arriva près de lui, il se pencha et lui parla avec de grands gestes. La petite fille pleurait tout en opinant. Crispus se redressa et lui ébouriffa les cheveux.

Puis il la prit par la main et l'entraîna dans l'allée. Ils entrèrent dans les écuries et, un instant plus tard, en ressortirent à cheval. Crispus avait assis la fillette devant lui. Lupus ne s'était pas attendu à cela.

Quand ils passèrent devant lui, il était caché derrière un vieil olivier et ôta ses sandales pour courir après eux. Les pavés blancs de la superbe voie romaine étaient lisses et ne lui blessaient pas les pieds. Tout en courant, il se prit à penser que des centaines de soldats avaient sans doute été réquisitionnés pour construire cette voie. Il se demanda comment Felix avait négocié et combien elle avait coûté.

Quand il atteignit la route côtière, son cœur était sur le point de se rompre et il n'avait plus de souffle. Il s'arrêta, regarda à droite et à gauche, mais le cheval avait disparu.

Nubia gravit la colline et prit la cordelette rouge. Les arbres la cachaient et elle chercha des yeux une autre cordelette. Là ! Elle l'avait trouvée, accrochée autour d'une branche un peu plus loin. Elle courut aussi vite que possible. Elle devait se dépêcher, les autres n'allaient pas tarder à se demander ce qu'elle fabriquait.

Soudain, Nipur grogna. Un des buissons avait bougé. Avant que Nubia ait pu émettre un son, un bras se noua autour de sa taille et une main couvrit sa bouche. Un souffle chaud près de son oreille, suivi d'un murmure :

– C'est moi, Fuscus. Kuanto. Ne crie pas.

Il la relâcha lentement et Nubia put se retourner pour le regarder.

Kuanto de la tribu des Chacals se tenait devant elle. Il avait à peu près l'âge de son frère aîné, seize ou dix-sept ans. Il lui souriait de toutes ses dents blanches et elle se sentit rougir.

Il était très beau garçon.

Plus tard dans l'après-midi, après les thermes, Nubia peignait les cheveux de Flavia encore humides.

– Tu crois que tu pourrais me coiffer les cheveux comme Leda l'a fait ce matin ?

Les yeux gris de Flavia brillaient. Ils avaient été invités à dîner avec Pollius Felix et sa femme.

Les petites sœurs de Pulchra les en avaient informé dès leur retour de promenade.

– Pater et Mater nous ont tous invités à dîner avec eux ce soir, criaient-elles tout excitées.

– Ne racontez pas n'importe quoi, les avait rabrouées Pulchra, exténuée par la chaleur et la promenade.

Mais les petites n'avaient pas menti.

– C'est un véritable honneur, répéta au moins une douzaine de fois Pulchra à Flavia pendant qu'elles étaient aux thermes. Ils ne dînent jamais en notre compagnie.

Et Nubia avait remarqué une étrange expression sur le visage de Pulchra.

Nubia essaya de coiffer Flavia comme elle le lui demandait. Flavia la remercia.

– Tu es aussi douée que Leda.

Puis elle soupira.

– J'ai du mal à croire que nous allons vraiment dîner avec Felix.

Nubia se pencha pour rattacher la bulla de Flavia autour du cou de son amie. Il s'agit d'une amulette que les enfants nés libres portent jusqu'à l'âge adulte.

Nubia se demanda si un jour quelqu'un la coifferait de nouveau elle aussi. Comme sa mère le faisait.

Perdue dans ses pensées, les doigts encore pleins de l'huile dont elle avait frotté Flavia, elle ne parvenait pas à manipuler le fermoir de la chaînette.

Soudain, la bulla tomba sur le sol.

– Idiote, marmonna Flavia en colère. Elle ramassa son amulette et la tendit avec impatience à Nubia. Les mains tremblantes, Nubia parvint enfin à fermer la chaîne.

– Je suis jolie ? demanda Flavia en s'admirant dans le miroir de bronze.

Mais Nubia savait qu'elle n'attendait pas de réponse à cette question.

Flavia suivit Pulchra dans le triclinium privé de Polla Argentaria. À son entrée, on lui tendit une jolie guirlande de lierre, de minuscules roses jaunes et de feuilles de citron. Les sœurs de Pulchra étaient déjà installées, allongées sur un divan crème. Jonathan et Lupus avaient fait de même. Ils portaient tous deux de nouvelles tuniques vert émeraude. Lupus avait plaqué ses cheveux en arrière.

– Quelle élégance ! s'exclama Flavia.

Lupus prit un air détaché et rajusta sa guirlande. Jonathan rougit.

– Je pense que c'est un cadeau de Felix. Elles étaient posées sur nos lits quand nous sommes revenus des thermes.

Nubia elle aussi était déjà là, debout près de Leda. Elle était vêtue d'une tunique de lin jaune comme tous les esclaves de la villa Limona. La couleur mettait en valeur sa peau foncée et Flavia se sentit fière d'avoir une aussi jolie esclave prête à la servir.

Les murs de la salle à manger étaient couleur paille, ornés d'une discrète frise de Cupidons ailés conduisant des chariots peints en noir et crème. Dans un coin, était exposée une sculpture grecque de Vénus. La statue de bronze était nue, prête à se baigner. À ses pieds, un jeune esclave jouait de la lyre.

« Il est évident que le décor de cette pièce est l'œuvre d'une femme », pensa Flavia, impatiente de voir à quoi pouvait bien ressembler l'épouse de Felix.

Enfin, suivis de leurs esclaves, Publius Pollius Felix et Polla Argentaria firent leur entrée.

ROULEAU XVI

Polla était presque aussi grande que son mari. Et très belle. Mais aussi extrêmement pâle, presque diaphane. Elle ressemblait à un fantôme aux côtés de l'imposante présence de Felix.

Les présentations faites, les époux s'allongèrent sur le divan central. Les esclaves apportèrent immédiatement les mets.

Le premier plat était composé d'œufs de caille, de champignons glacés au miel et de sauce au poisson. C'était délicieux et assez petit pour être mangé élégamment. Lupus sembla apprécier, sans doute parce que les œufs comme les champignons glissaient facilement dans sa gorge.

– Dis-moi, Flavia, demanda Felix, qu'as-tu fait aujourd'hui ?

Flavia fut tentée de répondre : « Nous vous avons espionné. »

Mais elle se retint.

– Nous sommes allés nous promener jusqu'au temple de Dionysos[1] dans les vignes sur la colline et nous avons pique-niqué là-bas.

---

1. Dieu grec des vignes et du vin.

– « Le dieu du vin aime les collines, les vents du nord et l'ombre fraîche des ifs », cita Felix.

– Virgile[1] ? demanda Flavia.

Felix écarquilla les yeux et acquiesça.

– *Les Georgiques*, précisa-t-il. Je suis très impressionné.

– Pourquoi des dauphins sont-ils peints sur les murs du temple ? continua Flavia qui voulait conserver son attention.

Felix haussa un sourcil et lui jeta un regard amusé.

– Je suis étonnée qu'une jeune fille si cultivée ne fasse pas le rapprochement.

Il se retourna vers l'esclave qui se tenait derrière lui et murmura quelques mots. Le jeune homme disparut rapidement dans la cuisine.

Il revint un instant plus tard. Il tendit à Felix une coupe en céramique[2] et reprit sa place.

Felix donna la coupe à Flavia. Elle vit tout de suite qu'elle était grecque et sans doute antique. Elle la prit prudemment.

– C'est une kylix[3] athénienne, expliqua Felix, une de mes plus magnifiques antiquités. À ton avis, quel âge peut-elle avoir ?

Flavia réfléchit rapidement. Son oncle Gaïus possédait un bol orné de silhouettes peintes en rouge sur fond noir. Il avait plus de cinq cents ans. Et

1. Célèbre poète romain (70-19 av. J.-C.).
2. Argile cuite dans un four à très haute température.
3. Coupe grecque très fine, utilisée pour les grands dîners.

Flavia savait que les silhouettes noires étaient plus anciennes que les rouges.

– Plus de six cents ans, estima-t-elle.

Felix haussa les sourcils une nouvelle fois.

– Décidément, Flavia Gemina, je suis très impressionné. Et saurais-tu également dire qui est représenté sur cette coupe ?

Dans le fond du récipient, un bateau fin et racé était dessiné en noir. Sa voile était blanche et sa figure de proue avait la forme d'un dauphin. L'artiste avait également peint un homme allongé sur le bateau. Il portait une guirlande et tenait une coupe de vin à la main.

Flavia examina la kylix pendant un moment, puis la leva pour que Pulchra, Jonathan et Lupus puissent la voir.

– C'est Dionysos ? demanda Pulchra.

– Exactement, ma fille, sourit Felix. Mais peux-tu me dire ce qui est étonnant dans cette scène ?

– La grappe de raisin qui pousse sur le mât ? suggéra Jonathan.

– Tout à fait.

– Et il y a six, non, sept dauphins qui accompagnent le bateau, ajouta Flavia.

– Le grand poète Homère raconte cette histoire dans son septième hymne, commença Felix pendant que les esclaves débarrassaient la table.

« Un jour que Dionysos se reposait sur une plage au bord de la mer Tyrrhénienne, des pirates s'approchèrent. Même de loin, ils devinèrent que Dionysos était d'une grande famille et décidèrent de l'enlever et de demander une énorme rançon pour sa libération.

Flavia, Lupus et Jonathan se regardèrent.

– Les pirates attaquèrent Dionysos, l'embarquèrent et le ligotèrent. Mais une fois loin de la côte, le dieu du vin transforma ses liens en vrilles de vigne. Elles s'enroulèrent autour du mât et, immédiatement, deux énormes grappes poussèrent. Les pirates se regardaient, horrifiés. Ils venaient de comprendre que leur prisonnier était un dieu.

En regardant Felix allongé sur le divan, sa guirlande sur la tête, Flavia n'avait aucun mal à imaginer à quoi pouvait ressembler Dionysos.

– Soudain, poursuivit Felix, Dionysos se transforma en lion et rugit de toute la force de ses poumons. Après tout, il est le dieu du vin, de l'ivresse et de la folie. Les pirates sautèrent par-dessus bord pour lui échapper.

Lupus rit bruyamment et Felix lui jeta un regard amusé et bienveillant.

– Le dieu reprit sa forme première et se servit une coupe de vin pendant que le bateau le ramenait chez lui.

– Quel rapport avec les dauphins ? insista Flavia.

– Le vin mit Dionysos dans un tel état qu'il prit pitié des pirates et les transforma en dauphins.

– C'est une histoire merveilleuse, soupira Flavia.

Elle rendit la coupe à Felix après avoir admiré une nouvelle fois ce dieu magnifique, vainqueur des pirates.

Felix lui adressa un léger signe de tête.

– Garde-la, je te la donne.

Flavia se sentit devenir glacée puis brûlante. Elle tenta de protester, mais elle ne pouvait prononcer un mot.

Felix sourit.

– À quoi servent les richesses, si tu ne peux les donner ? dit-il. Les amis sont plus importants que n'importe quel bien matériel.

Les esclaves apportèrent le deuxième plat : des filets de lieu en coque de sel parsemés de graines de coriandre, du fenouil grillé et des oignons confits. Sur le bord de chaque assiette étaient posés des quartiers de citrons.

– Du citron, enfin ! s'écria Jonathan en se jetant un quartier dans la bouche et en le mâchant allègrement.

Son visage se décomposa et tout le monde éclata de rire. Pollina et Pollinilla étaient renversées sur leur divan et battaient des pieds en hurlant. Polla sourit et esquissa un geste vers son esclave. Celle-ci montra à Jonathan comment presser le citron au-dessus du poisson.

Jonathan l'imita, hésita un instant et goûta. C'était salé et acide à la fois. C'était tout simplement délicieux.

–À propos de Dionysos... reprit Felix en adressant un signe de tête à l'esclave qui se tenait devant la porte d'entrée.

L'esclave s'approcha aussitôt, une cruche dans chaque main. Il remplit adroitement la coupe de chacun des invités en ajoutant de l'eau au vin pour les enfants. Les couleurs allaient du rose pâle pour les petites au rouge rubis pour Felix.

Ce dernier leva sa coupe vers Flavia.

–Le vin de ton oncle, lança-t-il, le meilleur vin de la région. Quel dommage que ses vignes soient maintenant brûlées !

–Vous avez vu la cendre quand vous avez ramené l'empereur à Stabia ? demanda Jonathan.

–Bien sûr, j'ai même vu des pilleurs essayer de se frayer un chemin pour aller voler les villas.

–Ont-ils trouvé quelque chose ? continua Jonathan.

Lupus s'appuya sur son coude. La conversation l'intéressait.

–Leur propre tombe, répliqua gravement Felix. La cendre a durci sur le dessus, mais elle s'effondre dès que l'on marche dessus et l'on meurt, étouffé.

Jonathan frissonna.

–Et malgré les efforts de Titus, nous n'avons retrouvé aucun survivant. Vous n'imaginez pas la chance que vous avez eue d'être toujours en vie. Les dieux devaient veiller sur vous.

Il but une gorgée de vin et se tourna vers Flavia.

– Raconte-nous comment vous avez réussi à vous en sortir.

Flavia leur raconta. Au début de son histoire, le ciel était rose comme du vin coupé d'eau et un esclave allumait les premières lampes. Quand elle eut terminé, la nuit était tombée. Une ou deux étoiles brillaient à l'horizon.

Flavia se rendit compte que la lyre s'était tue depuis longtemps, le musicien la regardait, bouche bée. Les esclaves se tenaient immobiles dans l'entrée. Ils n'avaient pas fait un geste pour débarrasser la table, de peur de rater un morceau de l'histoire. La douleur pouvait se lire sur le visage de Polla comme si elle vivait la terreur de cette nuit de l'éruption.

Et Flavia n'avait pas besoin de regarder Felix pour savoir qu'il ne l'avait pas quittée des yeux un instant. Il était manifestement très admiratif.

– Incroyable, murmura-t-il, nous devrions célébrer votre survie avec quelque chose de spécial. Pulchra ? Tu es d'accord ?

– Oui, Pater.

Elle battit des mains.

– Le vin de citron.

Felix adressa un signe à l'esclave chargé du vin, qui réprima un sourire.

Les esclaves débarrassèrent les assiettes et apportèrent le dessert : des gâteaux au sésame et au miel.

– Mmmm, mes gâteaux préférés, se régala Jonathan en léchant le miel de ses doigts.

L'esclave chargé du vin réapparut avec un plateau de bois peint, où étaient posées une douzaine de coupes faites du plus fin verre d'Alexandrie. Elles étaient presque transparentes. Au milieu du plateau, une cruche de verre emplie d'un liquide jaune clair. L'esclave remplit chaque verre et le tendit au fur et à mesure à chacun des convives.

Flavia goûta. C'était acide et sucré en même temps. Elle vida son verre et le tendit pour en avoir encore.

Felix avait pris la lyre.

– C'est à mon tour de raconter une histoire… ou plutôt de vous chanter une chanson.

Il joua un air triste, puis commença à chanter. Pollina et Pollinilla s'étaient endormies, leurs joues rosées et leurs cheveux blonds éclairés par la lumière des torches. Pulchra regardait son père, béate d'admiration. Les yeux verts de Lupus étaient immobiles comme ceux d'un chat. Polla avait fermé les paupières pour mieux écouter.

Flavia ne connaissait pas cette chanson. Elle racontait l'histoire de la princesse crétoise Ariane[1]

1. Princesse crétoise qui a aidé Thésée à vaincre le minotaure. Thésée l'abandonna ensuite sur l'île de Naxos où elle fut consolée par Dyonisos.

qui trouva l'amour sur l'île de Naxos. La voix de Felix était un peu rauque et il jouait et chantait merveilleusement. Quand il s'arrêta, tout le monde applaudit sans faire trop de bruit pour ne pas réveiller les deux petites.

Polla ouvrit les yeux.

– Mon époux est trop modeste pour vous l'avouer, mais il a composé cette musique et écrit ces paroles lui-même. Il a d'ailleurs gagné un prix au festival l'année dernière.

Felix salua gracieusement et se tourna vers Flavia.

– Tu sais jouer ?

Le cœur de Flavia cessa de battre. Elle savait à peine manipuler un tambourin. Soudain, elle eut une idée.

– Moi non, mais Nubia, elle, sait jouer.

Elle regarda par-dessus son épaule.

– Nubia, joue de la flûte pour nous.

Flavia attrapa le bord de la tunique jaune de Nubia pour l'attirer au pied du divan.

Nubia n'était pas habituée à rester debout si longtemps et elle était contente d'avoir l'occasion de s'asseoir. Elle sortit sa flûte, consciente que tous les regards étaient tournés vers elle. Elle ferma les yeux pour se concentrer. Un instant plus tard, une image lui apparut.

Elle porta la flûte à sa bouche et commença à jouer. C'était une nouvelle chanson qui ne lui venait ni de son père, ni de son frère. Nubia l'appela « la chanson des esclaves ».

Elle recréa en musique le désert au coucher du soleil, les ombres violettes sur le sable, les caravanes de dromadaires au loin.

Sur un des dromadaires, une jeune fille aux yeux d'ambre pleurait. Elle était seule. Sa famille avait disparu, leurs tentes avaient été brûlées, son chien gisait dans la poussière. Le dos de la jeune fille était strié de coups de fouet et son cou prisonnier d'un collier de fer.

Mais les larmes sur ses joues étaient des larmes de joie.

La lune la regardait du haut du ciel. Baignées de sa lumière, une palmeraie, une oasis.

Elle savait qu'elle y trouverait de l'eau, des dattes sucrées et du sable fin. Et quelqu'un pour prendre soin d'elle.

Et surtout qu'elle y trouverait la liberté.

Le matin suivant, Flavia se réveilla avec un terrible mal de tête et une douleur à l'estomac. Elle ne se rappelait même plus être allée se coucher.

– Nubia, appela-t-elle, apporte-moi de l'eau s'il te plaît. Ma gorge est si sèche... Nubia !

À la lumière du soleil, elle vit qu'il était assez tard. Peut-être déjà l'après-midi.

Elle s'assit dans son lit et regarda autour d'elle en se frottant les yeux. Les chiens n'étaient pas là et

Nubia avait également disparu. Flavia enfila sa tunique et se leva.

Mais elle dut se rasseoir aussitôt. La tête lui tournait.

Un verre rempli d'eau avait été posé au pied de son lit, elle le prit et le vida.

Elle se leva de nouveau et avança.

Mais elle se rassit encore, prise de nausée.

Sur le sol, au pied du lit de Nubia, elle avait vu des taches de sang. Et la flûte en bois de lotus de son amie, brisée en deux.

ROULEAU XVII

Où est-elle ? demanda Flavia en espérant
qu'ils ne percevraient pas le tremblement
dans sa voix.

– Tiens, bonjour Fulvia, lança Pulchra, ou plutôt, bon après-midi.

Elle était assise sur son lit en compagnie de
Jonathan. Ils jouaient à un jeu de société.

– Où est qui ? demanda Jonathan sans même
redresser la tête.

Il se concentrait pour décider de son prochain
coup.

– Nubia. Elle n'est pas là. Je l'ai cherchée partout. Et sa flûte est cassée.

– Je ne l'ai pas vue de la journée…

Jonathan avança son pion et regarda Flavia.

– Je pensais qu'elle dormait encore avec toi.

Flavia croisa les bras et fixa Pulchra dont les
yeux étaient rivés au damier.

– Pulchra. Où est Nubia ?

– Elle était insolente, rétorqua Pulchra, je voulais juste regarder sa flûte et elle a refusé. Elle est

partie en courant. J'ai pensé qu'elle était venue pleurer dans ton giron. Tu es bien trop gentille avec elle. Elle est terriblement gâtée.

– Qu'est-ce que tu lui as fait ?

– Je l'ai battue évidemment.

Pulchra évitait maintenant le regard de Jonathan.

– Et ?

Les lèvres de Flavia étaient blanches de colère.

– Et j'ai cassé sa stupide flûte !

– Je suis sûre que Felix acceptera de nous aider, affirma Flavia à Jonathan une heure plus tard.

Ils étaient assis dans le jardin à l'ombre du citronnier. Dès que Jonathan avait vu le visage bouleversé de son amie, il était sorti immédiatement de la chambre de Pulchra en entraînant Flavia.

Pulchra n'avait pas eu le courage de les suivre. Ils avaient parcouru la villa Limona dans tous les sens. Sans résultat jusqu'à ce qu'une jeune esclave leur affirme avoir aperçu Nubia sur le coteau de la colline.

– Felix a retrouvé la petite fille, poursuivit Flavia avec ardeur, il a beaucoup d'hommes à son service qui connaissent parfaitement les environs. Il nous aidera à retrouver Nubia. J'en suis sûre et certaine.

– Je ne suis pas aussi confiant que toi, bredouilla Jonathan.

– Viens avec moi, l'entraîna Flavia, et tu verras.

Il était bientôt midi et Felix avait rencontré presque tous ses clients. Seuls deux hommes attendaient encore leur tour quand Flavia et Jonathan entrèrent dans l'atrium[1].

Le secrétaire de Felix leva un sourcil quand ils demandèrent à voir le Patron, mais Flavia affirma être une cliente. Il nota donc son nom sur sa tablette de cire.

Flavia se laissa tomber sur le banc de marbre près de Jonathan et observa l'atrium. Il était frais et lumineux, éclairé par l'habituelle ouverture rectangulaire dans le plafond.

Elle soupira.

– Jonathan, pourquoi Nubia n'est-elle pas venue me voir après avoir été battue ?

– Eh bien… commença Jonathan.

– Quoi ? demanda un peu hargneusement Flavia.

Son estomac la faisait toujours souffrir d'avoir ingurgité trop de vin de citron la veille.

– Tu t'es mise à traiter Nubia comme Pulchra traite son esclave.

– Mais non ! N'importe quoi !

– Hier soir, pendant le dîner, elle est restée debout derrière ton divan et n'a pas eu une bouchée à manger et toi, tu lui as demandé de jouer de

---

1. Salle de réception des grandes villas romaines. En général à ciel ouvert, il contient un bassin d'eau de pluie.

la flûte dans le seul but d'impressionner cette araignée, ce...

– Araignée ?

Flavia savait qu'il parlait de Felix.

– Tu te rappelles au campement, reprit Jonathan, ce que l'aubergiste nous a raconté à propos d'une araignée tissant sa toile ? Eh bien, je pense que Felix est une énorme et grasse araignée !

La porte à double battant du bureau de Felix s'ouvrit brusquement.

– Merci Patron, merci. Je ne sais pas comment je pourrai vous prouver ma reconnaissance. Vous êtes un dieu. Vous avez ramené ma petite fille d'entre les morts.

Un petit homme vêtu d'une tunique de paysan sortit du tablinum. Son bras était passé autour des épaules d'une petite fille aux cheveux noirs. Sur les joues de l'homme, coulaient des larmes de joie.

– Une araignée, répéta-t-elle à voix basse en secouant la tête.

Le secrétaire s'approcha des deux hommes qui patientaient et leur murmura des excuses, puis il se tourna vers Flavia et Jonathan pour leur annoncer que le Patron les attendait.

– Entrez mes enfants.

Derrière sa table, Felix se leva pour les accueillir. La gorge de Jonathan se serra. La toge officielle que portait Felix le rendait encore plus impressionnant que d'habitude.

Il leur indiqua deux fauteuils.

—Asseyez-vous et expliquez-moi comment je peux vous aider.

Jonathan jeta un regard furtif vers les trous dans le mur, ceux par lesquels il avait espionné Felix toute une matinée, se demandant s'ils étaient visibles.

Les murs de plâtre étaient bleu ciel et agrémentés de panneaux rouge foncé. Sur les panneaux avaient été peintes des fresques représentant des masques de théâtre tragique et comique. Ils étaient si bien réalisés qu'ils donnaient réellement l'impression d'être accrochés au mur. Le plâtre était fissuré par endroits, ce qui renforçait encore l'impression de vrai qui se dégageait des masques.

Jonathan ne distingua aucun trou dans le mur, mais il aperçut soudain un jeune garçon aux cheveux noirs vêtu d'une tunique vert émeraude, appuyé contre une colonne. Flavia le vit au même instant.

—Lupus !

Lupus leur adressa un léger signe de tête mais ne sourit pas.

Flavia prit place face à Publius Pollius Felix.

—Patron, nous avons besoin de votre aide.

—Comment puis-je t'aider, Flavia Gemina ?

Sa voix était tout sauf chaleureuse.

– Nubia a disparu. Pourriez-vous la retrouver ?

Felix fronça les sourcils.

– Qui est Nubia ?

– Mon esclave, repartit Flavia, surprise qu'il ne le sache pas.

– Ah, cette jeune fille noire qui a joué de la flûte hier soir. Une musique étrange, ni grecque, ni romaine... Vous dites qu'elle a disparu ?

– Elle s'est enfuie ce matin, après que...

Flavia s'arrêta et reprit :

– Je crois qu'elle s'est enfuie.

– Flavia Gemina, commença Felix, certains de mes hommes sont chargés de retrouver les esclaves en fuite. Mais tu dois savoir que, lorsqu'ils les retrouvent, ils les punissent selon la loi romaine. Tu devrais attendre qu'elle revienne de son propre gré. En attendant, choisis-toi l'esclave que tu veux pour s'occuper de toi. Prends seulement la peine de vérifier auprès de Justus si elle n'est pas indispensable à l'ordonnance de la maisonnée.

Le scribe près de lui nota quelques mots sur sa tablette.

– Mais Nubia est peut-être en danger ! s'exclama Flavia.

Felix s'appuya contre son bureau et regarda Flavia avec une sympathie que Jonathan sentit simulée.

– Tu l'aimes beaucoup ton esclave, n'est-ce pas ? Seulement l'empereur vient tout juste de décréter que tout esclave en fuite devra être crucifié ou mangé par les lions du cirque. Si mes hommes la trouvent...

Jonathan ne put réprimer un frisson. Flavia était aussi blanche que la toge de Felix.

– Je suis navré, continua Pollius Felix, mais nous voulons éviter une nouvelle révolte d'esclaves et c'est le seul moyen de maintenir l'ordre. Surtout depuis l'éruption. Nous recevons chaque jour des rapports décrivant les dégâts causés par des esclaves en fuite.

– Mais Nubia est mon amie, protesta Flavia, elle m'a sauvé la vie.

– Tu aimes également ton chien, lâcha calmement Felix, mais s'il avait la rage, tu le ferais exécuter sans hésitation.

Il leva ses paumes vers le plafond.

– Je suis désolé, Flavia. Je me vois dans l'obligation de te refuser mon aide.

ROULEAU XVIII

– **T**u avais raison Jonathan, sanglota Flavia, ce n'est rien qu'une grosse araignée !

Ils avaient à peine quitté l'atrium que Flavia avait éclaté en sanglots. Elle se laissa tomber sous le citronnier. Jonathan s'assit près d'elle et l'entoura de son bras.

– Et Nubia avait raison, reprit Flavia, il nous a divisés… Il fait en sorte de se rendre aimable et… Lupus est sous son charme.

De grosses larmes roulèrent sur ses joues et mouillèrent sa tunique. Son corps était secoué de spasmes. Jonathan ne savait que faire pour la consoler. Scuto entra dans le jardin et s'approcha de sa maîtresse en remuant la queue.

Flavia le serra dans ses bras et pleura dans sa fourrure. Le chien s'assit et leva des yeux interrogatifs vers Jonathan.

Une ombre se dressa soudain devant eux.

C'était Lupus. Il était en contre-jour : impossible de distinguer la moindre expression sur son visage. Mais ses sentiments étaient clairement exprimés sur sa tablette de cire :

Qu'attendons-nous pour partir à la recherche de Nubia ?

Flavia prit la grosse tête de Scuto entre ses mains et plongea son regard dans les yeux bruns du chien.

– Trouve Nubia, Scuto, Nu-bi-a.

Elle lui tendit la tunique jaune que Nubia avait portée la veille au soir. Scuto la renifla.

– Allez, va Scuto ! Toi aussi, Tigris !

Flavia se leva.

– Partons à sa recherche.

Les trois amis suivirent Scuto et Tigris qui gravissaient le flanc de la colline. Flavia essayait de se rappeler les événements des trois derniers jours.

Elle songea à l'air magnifique que Nubia avait joué la veille, à la douleur qu'il exprimait. Elle se souvint avoir murmuré « idiote » pendant qu'elle l'aidait à s'habiller pour le dîner…

Et si Nubia l'avait pris pour elle ? Flavia avait prononcé ce mot parce qu'elle pensait à Felix et regrettait d'avoir à porter cette amulette qui montrait tellement qu'elle n'était qu'une petite fille.

Et plus tard, pendant le dîner, elle était si occupée à tenter d'impressionner Felix qu'elle avait à peine prêté attention à Nubia qui se tenait patiemment à sa disposition. Elle avait pensé que les esclaves mangeraient eux aussi mais c'était stupide. On ne leur laissait sans doute que la possibilité de se battre pour les restes dans la cuisine.

Flavia s'arrêta et déboucha sa gourde. Elle avait la nausée. Trop chaud et trop de vin de citron la veille. Après une longue gorgée, elle repartit à la suite des chiens et des garçons.

Tout est la faute de Pulchra, décida-t-elle. Cette petite harpie trop gâtée, avec ses cheveux blonds et ses grands yeux bleus. Elle avait osé frapper Nubia ! Et elle lui avait cassé sa flûte. Son bien le plus précieux.

La colère lui donna de la force et, sans même s'en rendre compte, elle parvint au temple de Dionysos. Les chiens reniflaient avec ardeur au pied de l'if.

Le désespoir envahit soudain Flavia.

– Oh non, ils suivent son odeur d'hier !

– Attends, la calma Jonathan, Tigris continue de grimper la colline. Nous ne sommes pas allés si loin, hier.

Scuto suivit Tigris sur le chemin bordé d'ifs et de pins.

– Si, Nubia a pris ce chemin. Elle avait mal au ventre, soupira Flavia.

– Tu es sûre, elle est montée si haut ?

Flavia plissa les yeux vers les silhouettes des chiens.

Soudain Lupus poussa un grognement et tendit son doigt.

– Une cordelette rouge, cria Jonathan, là, nouée à une branche !

– Oui, je la vois ! Et il y en a une autre plus haut. On dirait qu'elles indiquent un chemin.

Ils marchèrent à grands pas et perdirent rapidement la villa Limona de vue. La respiration de Jonathan devenait un peu sifflante et ils durent s'arrêter. Une nouvelle vue s'étendait devant eux.

La mer dansait sous le soleil. Un tapis d'oliviers argentés descendait jusqu'à la côte. Derrière eux, les pins devenaient plus rares et laissaient entrevoir la falaise creusée de cavernes.

Scuto ferma à demi les yeux. Il essayait de saisir une odeur dans le vent. Tigris avait repris sa route.

– Regardez, dit Flavia, il y a une île là-bas. C'est sans doute Capri[1].

Jonathan s'immobilisa. Il connaissait cet endroit. Et pourtant il n'y avait jamais mis les pieds. D'où il était, la mer ressemblait à un immense morceau de soie bleue, il était sur le point de se rappeler… et n'y parvint pas.

Derrière lui, un craquement de brindille, et un faible bruissement de feuilles.

– Flavia, Lupus, souffla-t-il, nous sommes suivis.

1. Île au large de Sorrento.

Lupus posa son index sur ses lèvres et disparut dans l'ombre des pins. Il réapparut, un instant plus tard. Il tenait par le poignet Pulchra dont le visage était écarlate. Leda les suivait.

– Toi ! s'énerva immédiatement Flavia, pourquoi nous suis-tu ? Tu crois que tu n'as pas causé assez de problèmes ?

Pulchra recula.

– On ne vous suivait pas ! On faisait une promenade.

– Habillées avec ces vieilles tuniques vertes ?

Pulchra passa sa main dans ses cheveux, mais ils étaient collés à sa nuque par la sueur.

– Nous avons pensé que vous pourriez avoir besoin de nous ! affirma-t-elle en croisant les bras sur sa poitrine.

– Pour quoi faire ? Pour retrouver Nubia et que ton père la fasse crucifier ! Espèce de sale gamine gâtée.

– Et toi… tu n'es… qu'une paysanne !

– Harpie !

– Gorgone !

Furieuse, Flavia saisit les cheveux de Pulchra et tira de toutes ses forces.

– C'est toi qui devrais être fouettée ! glapit-elle.

Pulchra poussa un cri strident et lança faiblement le poing en avant.

– Tu te bats comme une fille ! se moqua Flavia en évitant les coups.

–Je suis… une fille, s'étrangla Pulchra, pas comme toi !

Et elle ponctua cette dernière phrase d'un direct dans l'estomac de Flavia.

Flavia vacilla. Sa nausée lui creusait les joues. Elle attrapa Pulchra par les genoux et la fit tomber dans la poussière.

–Ouch ! se plaignit Pulchra.

Flavia s'assit sur elle mais Pulchra se débattit furieusement.

Lupus, Jonathan et Leda assistaient à la scène, stupéfaits.

–Aouch, cria Flavia.

Pulchra venait de lui enfoncer ses parfaites petites dents blanches dans le bras.

–Tu n'as pas le droit de mordre ! rugit Flavia en enfonçant ses ongles dans les joues de Pulchra et en la griffant jusqu'au cou.

Pulchra hurla et donna des coups de pied pour se dégager.

Lupus et Jonathan voulurent les séparer, mais ils avaient peur de prendre un coup.

Soudain, quelque part sur la colline, Scuto aboya, mais ils ne l'entendirent pas. Et quand les deux hommes masqués sortirent des buissons, il était trop tard.

ROULEAU XIX

Ils n'étaient que deux, mais ils étaient forts et habitués à sillonner les montagnes à la recherche d'enfants égarés.

Seul Lupus réussit à s'enfuir.

Jonathan se débattit mais il fut vite à bout de souffle. Un coup violent sur la tête lui fit perdre connaissance. Leda n'essaya même pas de se défendre. Flavia et Pulchra étaient encore à se battre quand les hommes se jetèrent sur elles, les séparèrent et leur lièrent les mains dans le dos. En voyant les masques, Pulchra hurla.

– Par Pollux, jura Flavia en donnant un coup de pied à un des hommes.

Mais sa bagarre avec Pulchra l'avait épuisée et elle n'atteignit pas son but.

En quelques instants, elles furent solidement ligotées. Flavia et Pulchra, encore essoufflées, étaient couvertes de sang et de poussière.

Scuto était resté devant la clairière. Il remuait vaguement la queue, se demandant s'il s'agissait d'un jeu.

– T'as vu ça, Actius, lança le plus petit des deux hommes, c'est la plus belle prise qu'on ait jamais faite.

– T'as raison, Sorex, approuva son acolyte, deux en pleine forme et deux à peine abîmées.

– Et un de parti !

– Ouais, dommage mais il était vraiment pas grand. Faut laisser les petits s'échapper de temps en temps. Et puis avec quatre en plus on arrive au joli chiffre rond de cinquante.

– Et Lucrio a affirmé que le Patron allongeait la prime de cent sesterces si on arrivait à ce chiffre-là.

Le Patron.

Lupus, caché dans les buissons, n'en croyait pas ses oreilles. Il eut la nausée. Felix était donc bien derrière toute cette histoire.

Non, impossible, il devait y avoir une erreur. Ces hommes ne pouvaient être aux ordres de Felix. Ils devaient parler d'un autre patron. D'ailleurs, si Felix avait été leur patron, ils reconnaîtraient sa fille Pulchra.

Et puis, il utilisait son pouvoir pour aider ses clients et non pour leur faire du mal. Il avait aidé à retrouver la fille du fermier et il avait prêté de l'argent au fabricant de tentes pour l'aider à développer son affaire. Et Lupus savait de source sûre que Felix avait payé de sa poche beaucoup des provisions qui avaient été distribuées aux réfugiés.

Il se déplaça pour mieux voir. Les hommes bousculaient ses amis pour leur faire traverser la clairière. Scuto hésitait à leurs côtés. Soudain, un petit chien noir se rua sur un des hommes et enfonça ses jeunes crocs acérés dans sa cheville. Lui avait compris qu'il ne s'agissait absolument pas d'un jeu.

L'homme masqué jura et envoya promener le chiot d'un coup de pied. Tigris atterrit dans la poussière et resta inanimé.

– Tigris !

Jonathan cria, mais les hommes éclatèrent d'un rire rauque et le poussèrent rudement vers un chemin rocailleux qui descendait vers la mer.

ROULEAU XX

Jonathan devait se concentrer pour ne pas tomber. Malgré tout, l'image de Tigris immobile dans la poussière le hantait. Il avançait, un pas devant l'autre, en essayant en vain de ne pas penser.

Descendre une colline est toujours plus difficile que de monter, à cause des risques de glissade. Les mains liées dans le dos, il est presque impossible de garder son équilibre.

Deux fois déjà, Pulchra était tombée. Les hommes masqués avaient ri avant de la remettre brutalement sur pied. Depuis, elle sanglotait sans interruption.

Jonathan sentit son talon rouler sur une pierre. Il parvint à se rattraper, mais une douleur dans la cheville lui fit monter les larmes aux yeux.

– C'est pas vrai, s'exclama Sorex de son étrange voix aiguë, on a bien failli perdre le petit aux cheveux bouclés !

– Tu crois pas qu'on devrait leur libérer les mains ? suggéra Actius.

– Et nous gâter tout le plaisir ? ricana Sorex. Ah ça non, alors. Je parie cent sesterces que Blondinette va tomber au moins encore une fois avant qu'on arrive à la grotte verte…

– Tenu.

Lupus s'agenouilla près de Tigris et posa son oreille contre la poitrine du chiot. Il ne bougeait plus mais son corps était encore chaud et son cœur battait.

Scuto poussa un gémissement.

Lupus prit le chiot dans ses bras et se leva.

Accompagné de Scuto, il emprunta le chemin qu'avaient suivi les hommes masqués. Mais Tigris était lourd et, très vite, Lupus commença à fatiguer. Il s'arrêta.

Les hommes n'avaient pu aller qu'à un seul endroit : à la grotte d'où il avait vu sortir le bateau l'autre jour pendant sa baignade. C'est là qu'ils se cachaient.

Lupus n'avait pas besoin d'aller plus loin. Il devait ramener Tigris à la villa Limona et trouver de l'aide.

Il irait voir Felix. Malgré les propos des hommes masqués, il était sûr que le Patron n'avait rien à voir avec ces enlèvements. Felix ne le laisserait pas tomber.

Ils atteignirent enfin le bord de la falaise. Les hommes masqués les entraînèrent vers un grenadier. En s'approchant, les enfants s'aperçurent qu'au pied de l'arbre un escalier descendait, s'enfonçant à l'intérieur même de la falaise.

Les hommes leur délièrent les poignets.

– Descendez ! leur ordonna Sorex.

Ses yeux, derrière le masque vert, étaient froids comme de la glace.

– Et pas un mot si vous ne voulez pas arriver en bas la tête la première.

Flavia s'engagea la première, suivie de Pulchra, Jonathan et Leda. Les hommes fermaient la marche.

Les escaliers étaient sombres. Flavia avançait prudemment, les mains sur chaque côté de la paroi humide. L'escalier tourna vers la gauche et soudain, Flavia se retrouva dans une vaste grotte.

– Avancez, cria Sorex de sa voix nasillarde qui résonnait étrangement.

Le plafond de la grotte ressemblait au palais de Scuto quand il bâillait. Quelque part, des gouttes d'eau tombaient régulièrement. Une vive lumière venait de la droite.

« Une seule issue, pensa Flavia, la mer. »

Elle essayait de calculer ses chances de courir et de se jeter à l'eau, quand Actius lui rattacha les mains dans le dos.

Les deux hommes avaient enlevé leur masque avant de commencer à descendre les marches.

Sorex avait une petite bouche aux lèvres rouges, un nez crochu et le menton fuyant. Actius avait une grosse tête et ses traits étaient plutôt doux.

Flavia entendit des bruits de pas. Un troisième homme s'approchait. Son visage éclairé par la lumière bleu-vert sembla familier à Flavia. C'était l'homme qui, au campement des réfugiés, avait annoncé les deux acteurs.

– Hé, Lucrio ! regarde ce qu'on a trouvé sur la colline, l'interpella Sorex.

– Bien, bien, bien, apprécia Lucrio.

Il avait un visage étroit et des joues mal rasées.

– Juste à temps pour la livraison. Emmenons-les avec les autres.

Il saisit rudement Leda et la projeta vers le fond de la caverne. Il fit de même avec chacun des autres.

Ils reprirent donc leur marche. La grotte était très profonde et bientôt sous leurs pieds la roche laissa place à du sable.

Ils arrivèrent sur une plage.

Serrés les uns contre les autres, les mains liées, se tenaient une cinquantaine d'enfants. Flavia les regarda un par un avec espoir. Mais Nubia n'était pas parmi eux.

Elle ne sut pas si elle était déçue ou soulagée.

Lupus arriva à la villa Limona environ deux heures après midi. Ses bras étaient douloureux. Tigris avait repris conscience mais pas suffisamment pour marcher seul.

Le portier le reconnut et le laissa entrer en bâillant.

Lupus déposa les chiens dans sa chambre et se rendit aux cuisines pour leur chercher à manger et à boire. Il leur rapporta un os à chacun et leur intima de ne pas bouger.

Tigris s'était lové sur l'oreiller de Jonathan mais Scuto ne cessait de gémir. Il cherchait sa maîtresse.

Lupus émit un nouveau grognement qui signifiait : « Pas bouger. » Scuto poussa un long soupir et s'allongea enfin. Lupus lui caressa le dessus de la tête, puis sortit.

Il allait voir le Patron.

– Asseyez-vous là ! Dans le sable !

Sorex poussa Flavia vers les autres enfants.

– J'ai besoin d'aller aux latrines, pleurnicha Pulchra.

Actius haussa les épaules.

– Comme tu peux le deviner à l'odeur, tout le monde se soulage dans le sable.

Pulchra lui jeta un regard horrifié. Elle ouvrit la bouche pour hurler puis la referma. Elle venait d'avoir une autre idée. Elle se tourna vers Lucrio qui lui semblait être le chef.

– Savez-vous qui je suis ? demanda-t-elle.

Les trois hommes se regardèrent.

– Je suis Polla Pulchra !

Lucrio, Sorex et Actius le dévisagèrent.

Puis éclatèrent de rire. Les cheveux de Pulchra étaient tout emmêlés et parsemés de brindilles. Sa tunique verte rapiécée était décousue à la manche. Son visage était sale et contusionné. Les quatre ongles de Flavia avaient marqué sa joue et un peu de sang séché avait coulé de sa narine gauche.

– Elle est bonne ! s'exclama Sorex, t'as beaucoup d'imagination.

– Je l'ai déjà rencontrée moi, Polla Pulchra, ajouta Lucrio, et tu lui ressembles vraiment pas.

– Vous dites n'importe quoi. Je suis Pulchra et voici mon esclave Leda. Dis-leur, Leda, dis-leur qui je suis.

Mais la jeune fille, effrayée, n'osa même pas lever les yeux.

– C'est ton esclave, hein, reprit Lucrio, regarde un peu et vois comment tu l'as traitée jusqu'à présent.

Il attrapa Leda par le col et tira brutalement. Elle se mit à pleurer.

– Vous les maîtres, nés libres, vous me donnez envie de vomir, vous ne vous rendez même pas compte que les esclaves aussi ont des sentiments.

– Regardez tous ! ordonna Sorex. Allez, le frisé et toi la maigrichonne, regarde !

Il tourna Flavia et Jonathan vers les enfants, assis sur le sable, frissonnants.

Flavia essaya de sourire courageusement à tous ces visages désespérés devant elle. Quelques enfants baissèrent les yeux, honteux, comme s'ils savaient ce qui allait suivre. Un garçon aux cheveux roux soutint son regard et Flavia eut l'impression qu'il essayait de lui donner du courage.

– Ne t'inquiète pas, dit Actius à Leda, tu as été bien assez battue. Tu peux arrêter de pleurer. Maintenant, ta maîtresse va devenir très gentille.

Leda tomba lourdement sur le sable comme si elle avait été poussée.

– Qui passe en premier ? lança Lucrio, toi la maigrichonne ! Sorex, au boulot, et essaye de ne pas trop abîmer la marchandise !

Le silence se fit pesant.

Soudain, Flavia sentit une douleur cuisante dans son dos. Puis une autre. Et une autre encore.

Sorex la fouettait.

La villa Limona semblait étrangement vide. Quelques esclaves vêtus de jaune somnolaient par-ci par-là, mais tous les jeunes gens en tunique vert émeraude avaient disparu. Lupus ne trouva Felix nulle part. L'atrium était silencieux, la porte à double battant du tablinum fermée à clé. Les jardins intérieurs, la cour et même les thermes étaient déserts.

– Le Patron est parti depuis une heure, le renseigna le portier, je sais pas où il est allé.

Lupus finit par trouver Polla Argentaria assise à l'ombre de la tonnelle, le regard tourné vers la magnifique baie de Neapolis.

– Rebonjour, lui dit-elle dans un sourire. Assieds-toi près de moi, un instant.

Lupus secoua vigoureusement la tête et leva sa tablette de cire, qu'il avait déjà montrée à tous ceux qui savaient lire dans la maison.

Où est Felix ? Je dois le voir.

– Mon mari est parti pour Rome.

Lupus écrivit d'une main tremblante :

Pulchra est en danger. Elle a été enlevée.

– Assieds-toi près de moi, répéta Polla Argentaria.

Épuisé, Lupus se laissa tomber sur le coussin jaune. Polla allait maintenant s'occuper de tout.

– J'ai une théorie concernant mon mari, commença-t-elle, dont je n'ai jamais parlé à personne auparavant.

Lupus lui jeta un regard surpris mais elle posa un de ses longs doigts sur ses lèvres en souriant.

– Je pense, poursuivit-elle, que mon mari est moitié homme, moitié dieu, comme Hercule. Pendant longtemps, je me suis demandé de quel dieu il était le fils. J'ai d'abord cru que c'était Jupiter mais aujourd'hui, je pense que c'est Dionysos.

Lupus remontra sa tablette à Polla. Ne savait-elle pas lire ?

– Ne t'inquiète pas, dit Polla d'une voix sereine, Dionysos veillera sur Pulchra.

Et elle ferma les yeux.

ROULEAU XXI

Jonathan s'assit sur le sable. Son dos le brûlait.

Flavia le rejoignit, frissonnante et silencieuse. Tout en prenant soin de ne pas lui abîmer la peau, Sorex l'avait battue sans pitié.

– Fais attention à la marchandise, avait grogné Lucrio une ou deux fois.

La pauvre Pulchra gisait sur le sable près de Jonathan et Flavia. Lucrio l'avait battue lui-même. Elle avait crié à chaque coup. Il y avait pris beaucoup de plaisir.

Actius et Sorex s'étaient mis à chanter.

– Nous sommes les pirates, les pirates de Pompéi.

Et à chaque fois qu'ils prononçaient le mot pirate, le fouet s'abattait sur le dos de Pulchra. Elle avait fini par s'évanouir. Ils l'avaient laissée sur le sable et avaient remonté les marches.

Jonathan tremblait de douleur, de peur et de honte. Il ferma les yeux et pria.

Presque immédiatement, il eut une idée.

Une idée qui devenait évidente et claire.

« Fais-les rire, pensa-t-il, fais-les rire. »

Il y réfléchit quelques instants. Il ne savait pas comment s'y prendre mais il devait pouvoir y arriver. Quand il prenait ses cours à la synagogue d'Ostia, il avait souvent eu des problèmes pour avoir fait le pitre.

Jonathan prit une grande inspiration et se leva. Des visages se levèrent vers lui, effrayés à l'idée que les pirates pourraient revenir et le surprendre.

– Bonjour tout le monde, commença Jonathan.

Mais il dut s'éclaircir la voix pour continuer.

– Bonjour, je m'appelle Jonathan. Ces hommes m'ont capturé, se sont moqués de moi et m'ont battu. Cela me met en colère bien sûr, mais savez-vous ce qui me met encore plus en colère ?

Les enfants ne le quittaient pas des yeux.

– Ce qui me met vraiment en colère, c'est qu'ils ont surnommé mon amie Flavia « la maigrichonne » et ça c'est vraiment pas sympa.

Un ou deux enfants esquissèrent un sourire, le garçon aux cheveux roux éclata de rire.

Jonathan sourit à Flavia. Les yeux de son amie étaient rouges et son visage noir de poussière, mais ses pupilles brillaient et elle se leva à son tour.

– Salut, je m'appelle Flavia Gemina, je suis la fille du capitaine Marcus Flavius Geminus. Vous me trouvez vraiment maigrichonne ?

Le garçon aux cheveux roux cria :

– Tu es parfaite !

Plusieurs enfants rirent et Flavia s'inclina vers le garçon d'une manière exagérée.

– Dis-moi Flavia, reprit Jonathan, combien de pirates faut-il pour allumer une lampe à huile ?

– Je ne sais pas, Jonathan, répondit Flavia en entrant dans le jeu de son ami.

– Trois ! Un pour allumer la mèche et deux pour chanter la chanson.

D'autres enfants s'esclaffèrent.

Pulchra leva la tête du sable et essaya d'ouvrir les yeux.

– Dis-moi Jonathan, combien de patrons faut-il pour allumer une lampe à huile ?

– Je ne sais pas, Flavia.

Jonathan regardait les enfants en haussant les sourcils.

– Un suffit mais il ne peut le faire que si vingt de ses clients lui embrassent le…

– Flavia !

Les enfants riaient de plus belle.

– Tu sais Flavia, continua Jonathan, j'étais à Pompéi, la semaine dernière et il m'est arrivé un drôle de truc quand je suis arrivé au forum[1].

– Ah oui ?

– Ben oui, il n'y avait plus de forum.

Tout le monde se réjouit de cet humour noir. Jonathan sentait déjà moins la douleur dans son dos.

---

1. Place du marché, dans les villes romaines. C'est aussi un lieu de rencontre.

– Y a-t-il quelqu'un ici qui vient d'Oplontis[1] ? demanda-t-il.

Cinq ou six enfants hochèrent la tête.

– Eh bien, on va essayer de ne pas trop compter sur vous…

Les yeux des enfants brillaient.

– Et y a-t-il quelqu'un parmi vous dont le nom est Apollon ?

– Moi.

Un garçon aux cheveux bruns s'était levé, il se rassit brusquement.

– Tu devrais aller t'asseoir avec les enfants d'Oplontis, grimaça Jonathan.

– Et y a-t-il un Rufus ici ? demanda Flavia.

– Moi, répondit le garçon aux cheveux roux.

– Ta petite sœur Julia et tes grands-parents pensent à toi, Rufus. Tu leur manques. Qu'est-ce que tu fais encore ici ?

– Et Melissa… lança Jonathan, tu vas avoir des problèmes avec ton père, si tu ne rentres pas à la maison !

Une petite fille aux cheveux frisés se dressa brusquement.

– Je m'appelle Helena Cornelia, avez-vous vu mes parents ?

– Je suis Quintus Caedius Curio, cria un garçon.

– Je m'appelle Thamyris, dit un autre.

1. Village côtier près de Pompéi, aujourd'hui appelé Torre Annunziata.

Tous les enfants donnèrent leur nom, riant et pleurant, demandant des nouvelles de leurs parents et amis.

Le silence revint d'un seul coup.

Jonathan et Flavia se retournèrent. Lucrio était derrière eux.

Il tenait une baguette de saule à la main.

– Tournez-vous, leur ordonna-t-il.

Jonathan fit de nouveau face aux enfants. Cinquante paires d'yeux le fixaient. Jonathan sourit et fit un clin d'œil.

Lucrio poussa Flavia.

– Toi aussi, la maigrichonne !

Et à ce moment tous les enfants éclatèrent de rire.

Jonathan rit aussi. Mais il sut, au premier coup sur son dos, qu'il paierait cher ce rire.

Lupus faisait les cent pas devant la tonnelle du premier étage de la villa Limona.

Que faire ? Polla était manifestement folle. Les esclaves ne pouvaient lui être d'aucune aide.

Deux possibilités s'offraient à lui. Il pouvait essayer de sauver ses amis tout seul ou il pouvait retourner au campement chercher de l'aide.

Le soleil commençait à descendre à l'horizon. Il lui restait à peine quatre heures avant la nuit.

Il se décida.

Il trouva dans la chambre de Jonathan une autre tablette de cire. Il composa un message pour

Felix au cas où, par miracle, il reviendrait de Rome.

Il s'arma d'un couteau bien aiguisé, de sa fronde et de quelques pierres. Il prit également sa tablette de cire et une gourde.

Il demanda aux chiens de ne toujours pas bouger, se dirigea vers le tablinum de Felix et glissa la tablette de cire de Jonathan sous la porte.

Il s'assura que personne ne l'espionnait et se dirigea vers l'allée qui menait à la crique secrète.

Lupus tira la barque sur la plage et la recouvrit de sable et de cendre pour la camoufler. Il lui avait fallu plus de temps qu'il ne l'avait pensé pour atteindre la petite crique mais le soleil était encore loin d'être couché.

Accroupi derrière les rochers, il observa la plage étroite, la falaise et les pins pour s'assurer que personne ne l'espionnait. Puis il sortit de sa cachette et se glissa silencieusement dans l'eau.

Il s'arrêta dans les vagues à quelques mètres du bord. Beaucoup de grottes creusaient la falaise. De laquelle était sorti le bateau bleu l'autre jour ? Pas la plus grande… Lupus se décida pour celle du milieu.

L'eau était tiède. Lupus nageait et pensait à son père.

Il se rappelait l'époque où ils naviguaient ensemble, ils se rendaient sur une île où ils pêchaient, grillaient leurs poissons puis s'allongeaient sur le sable sous les étoiles pour discuter tard dans la nuit. Au petit matin, ils reprenaient le bateau et rentraient à la maison.

Lupus but la tasse. Dans son esprit, le visage de son père avait été brusquement remplacé par celui de Felix. Il se dirigea vers des rochers et s'y accrocha pour reprendre sa respiration.

Il ne voulait pas oublier le visage de son père. Il refusait d'oublier la mort de son père. Il ferma les yeux et se concentra de toutes ses forces. Son père était plus petit que Felix. Ses cheveux étaient noirs et raides et ses yeux verts.

L'image de son père réémergeait doucement. Le cœur de Lupus reprit un rythme normal. Il relâcha la roche et regarda autour de lui. Il se trouvait à l'entrée de la grotte.

Il inspira profondément pour remplir ses poumons au maximum et plongea. Il nageait sous l'eau, bouche fermée, yeux grands ouverts.

Des poissons lui passèrent sous le nez, les rayons du soleil rougissaient la mer.

Il devait maintenant refaire surface pour reprendre de l'oxygène. Le rocher, au-dessus de lui, lui procurerait un abri.

Assise dans une des cavernes qui surplombaient la mer, Nubia caressait Nipur. Le soleil se couchait. Une brise fraîche s'était levée.

Kuanto était près d'elle, Kuanto que les autres esclaves appelaient Fuscus. Tous deux avaient passé tout l'après-midi, côte à côte à cette même place, à parler de leur désert natal.

Nubia n'avait pas eu l'intention de s'enfuir. Même si Kuanto était très beau. Même si Flavia l'avait traitée d'idiote. Même quand Pulchra l'avait battue. Mais, quand Pulchra avait cassé sa flûte, quelque chose à l'intérieur de Nubia s'était également brisé.

Elle avait pris Nipur et avait couru jusqu'au temple de Dionysos. Elle avait suivi les cordelettes rouges et Kuanto était venu l'accueillir bien avant qu'elle n'atteigne la caverne.

Leur cachette dans la falaise était claire et recouverte de sable fin. Une douzaine d'autres esclaves y vivaient. Quand elle était arrivée, certains préparaient le repas, d'autres tissaient, d'autres discutaient à voix basse. Un bébé tétait le sein de sa mère, un vieil homme grec à la barbe blanche racontait une histoire.

Une des femmes avait passé un baume sur le dos de Nubia et lui avait donné du pain, du fromage et une infusion de sauge sucrée au sirop de figue.

Kuanto lui avait raconté ses espoirs et ses rêves.

Il était plus âgé qu'elle ne l'avait cru. Il avait près de vingt ans. Il avait été capturé sept ans auparavant par des marchands d'esclaves arabes et mené au marché d'Alexandrie. Un marchand d'esclaves romain l'avait acheté et l'avait amené au port de Puteoli[1] où il avait été vendu de nouveau, cette fois à

---

1. Port de commerce de l'Antiquité romaine, aujourd'hui appelé Puzzoli.

un homme riche qui possédait déjà beaucoup d'autres esclaves.

Là, Kuanto avait travaillé dans les oliveraies et dans les vignes. Pendant sept longues années, il s'était si bien comporté qu'il avait gagné la confiance de son maître. De plus en plus de responsabilités lui avaient été confiées.

Une semaine plus tôt, il s'était rendu à Pompéi pour affaires et la terre s'était mise à trembler et la montagne avait explosé. Il avait immédiatement rejoint les portes de la ville. Les administrateurs de la ville leur demandaient de rester mais il n'avait pas obéi. Il avait emprunté un cheval, et avait galopé au loin, aussi vite qu'il le pouvait.

Après tous ces jours où le soleil n'apparaissait plus dans le ciel, Kuanto avait rencontré d'autres esclaves séparés de leurs maîtres. Ils s'étaient unis, vivaient dans les grottes et volaient ou achetaient de la nourriture quand ils le pouvaient.

Nubia regarda les douze esclaves derrière elle. Ils semblaient heureux et l'espoir brillait dans leurs yeux.

Kuanto lui exposa son plan. Il connaissait un capitaine prêt à les emmener jusqu'à Alexandrie.

Là, tout serait possible. Ils pourraient commencer une nouvelle vie. Prendre un bateau pour rejoindre leur pays d'origine, suivre le Nil pour retrouver l'Afrique.

– Viens avec moi, Nubia, retournons dans le désert, retrouvons les tentes de ma tribu. Peut-être que certains membres de nos familles ont pu s'échapper et vivent encore.

Nubia hocha la tête.

– Mon frère Taharqo s'est battu courageusement mais ils l'ont enchaîné. Ils nous ont séparés. Moi avec les femmes, lui avec les hommes. Peut-être vit-il encore, peut-être a-t-il réussi à fuir.

– C'est possible, acquiesça Kuanto.

– Mais comment comptez-vous payer le capitaine ? demanda Nubia.

– Mon maître m'avait confié un sac plein d'or pour acheter des épices et des poissons mais je n'ai pas eu l'occasion de le dépenser. Nous avons largement de quoi payer notre voyage.

Il regarda l'horizon et prononça calmement :

– Bien sûr, si je suis pris, je serai crucifié. Mais ce risque n'est rien à côté de la possibilité de sauver mes compagnons.

Le nez de Kuanto était fin, sa bouche sensuelle. Son corps était svelte et musclé.

– Regarde, reprit Kuanto en désignant le soleil couchant, pour la plupart des gens d'ici, quand le soleil est rouge sang, c'est un mauvais présage ; pour nous, les gens du désert, il en va différemment. Pour nous, c'est l'annonce de jours plus justes.

Avant de quitter la grotte, les pirates donnèrent à boire à leurs prisonniers et jetèrent un seau d'eau de mer sur Flavia et Jonathan.

Flavia se pencha pour laper l'eau qui dégoulinait sur sa tunique.

Pulchra avait repris conscience. Sa voix résonnait dans la grotte.

— Un jour, vous le regretterez.

Les pirates ne prirent même pas la peine de tourner la tête.

— Salut les gosses, lança la voix d'Actius, faites de beaux rêves.

Leurs pas s'éloignèrent. La nuit devait être tombée. Flavia tenta de desserrer les liens autour de ses poignets et de ses chevilles. En vain.

Puis elle comprit. Les pirates l'avaient aspergée d'eau. Les liens de cuir séchaient et se serraient de plus en plus autour de ses articulations.

Bientôt, ils lui entreraient dans la peau.

ROULEAU XXIII

Nubia écouta l'histoire de chaque esclave. Ils avaient partagé leur repas dans un même plat, utilisant le pain pour porter les aliments à leur bouche.

Sperata, la jeune mère, avait seize ans. Elle et sa jeune maîtresse, deux ans auparavant, avaient donné naissance chacune à une petite fille, le même jour. Le maître de la maison était le père des deux enfants, mais le sien lui avait été enlevé et on l'avait obligée à donner le sein au petit de sa maîtresse. Le bébé qu'elle berçait, un garçon, était son second. L'éruption du Vésuve avait empêché son maître de s'emparer également de celui-ci.

Le vieil homme grec s'appelait Socrate. Il parlait trois langues et avait été le précepteur des enfants d'un riche sénateur toute sa vie. Les enfants du sénateur étaient maintenant grands et avaient quitté la maison ; il avait été mis au travail de la vigne, s'était cassé le dos sous un soleil brûlant. Il était âgé de soixante-quatre ans, et l'arthrite le faisait souffrir.

Phœbus, un homme d'une trentaine d'années, rasé de près, les cheveux noirs, était également grec et fort cultivé. Il avait tenu les comptes de son maître jusqu'au moment où on l'avait accusé à tort de vol. Son maître l'avait vendu au propriétaire des thermes de Nuceria[1] où il avait passé quatre ans à nettoyer les latrines et à lessiver les murs. Son nouveau maître était jaloux de son savoir et le battait souvent pour l'humilier.

Kuanto regarda Nubia par-dessus les flammes.

– Raconte-nous ton histoire, demanda-t-il en latin.

La gorge de Nubia se serra. Elle avait été bien traitée depuis que Flavia l'avait achetée. Ses amis lui manquaient déjà.

– Pas d'histoire, répondit-elle, mais une chanson. Une chanson d'espoir.

Elle n'avait plus de flûte et chanta. Elle entonna le chant des voyageurs, le chant que son père avait murmuré la nuit où il était mort.

Le chant parlait d'un jeune voyageur qui recherche le bonheur. Il quitte sa famille et le Pays où le sable, le soleil et les chèvres sont dorés pour arriver au Pays bleu, où tout est eau, ciel et poisson. Les hommes vivent dans des boîtes qui flottent sur l'eau. Il s'arrête ensuite au Pays rouge où tout est fait de briques et de tuiles, où chaque humain reste près

1. Petite ville près du Vésuve, située plusieurs kilomètres à l'est de Pompéi.

de sa maison. Il traverse le Pays blanc, de neige, de givre et de glace, un pays si froid que les hommes sont vêtus de peaux de bêtes.

Il parvient alors au Pays gris, un endroit terriblement enfumé, recouvert de cendre et hanté de mauvais esprits.

Il croit qu'il lui reste un autre pays, le plus beau de tous, et qu'il y arrivera, mais il ne le trouve pas. Il devient de plus en plus maigre, de plus en plus gris mais jamais il ne cesse ses recherches.

Il finit par découvrir le Pays vert, un jardin aux arbres lourds de fruits, aux buissons fleuris, à l'herbe douce. Un pays de rivière, de pluie et de vie. Sa famille l'attend là. Et il reste avec elle pour toujours, à rire et à chanter.

De la grotte, la mer avait la couleur du vin.

Jonathan chantait «*Volare*» et les autres l'accompagnaient en chœur. L'écho de la grotte donnait l'impression que des anges leur répondaient.

Soudain, une fille hurla.

Une silhouette vert émeraude, dégoulinante d'eau, venait d'apparaître devant elle.

–Lupus! s'écrièrent ensemble Flavia et Jonathan.

Lupus remit ses cheveux en arrière et leur sourit. Puis, de la pointe acérée de son couteau, il coupa leurs liens.

Nubia s'était tue. La chanson était terminée. Trois hommes apparurent à l'entrée de la caverne.

– Quelles sont les nouvelles ? demanda le premier. Le bateau est-il arrivé ?

– Il ne va plus tarder, répondit Kuanto, la brise du soir le pousse vers nous. Il atteindra la crique dans quelques heures et nous serons à bord dès que la lune sera apparue dans le ciel. Asseyez-vous en attendant et prenez un verre de vin chaud et du ragoût, nous vous en avons laissé.

– C'est qui, elle ? continua l'homme en désignant Nubia.

Il avait le visage en lame de couteau et les joues mal rasées.

– Je t'ai déjà vue. Tu étais dans le campement des réfugiés.

Nubia le dévisagea ainsi que ses deux compagnons.

– C'est elle qui joue de la flûte comme un oiseau et chante comme un ange, les renseigna Kuanto. Elle nous a rejoints aujourd'hui même. Nubia, je te présente les comédiens Lucrio, Actius et Sorex. Ils vont nous aider à fuir.

Les cinquante enfants étaient libres. La nuit plongeait la grotte dans une obscurité presque totale.

– La lune ne va pas tarder à se lever, affirma Jonathan, en ce moment, elle est pleine.

–Si tu dis vrai, soupira Flavia, nous pourrons être loin d'ici avant le lever du soleil.

–Mais où aller? demanda Jonathan. Nous ne pouvons retourner à la villa Limona puisque Felix est l'instigateur de toute cette affaire.

–Tu racontes n'importe quoi, protesta Pulchra avec colère, Pater ne peut pas être impliqué.

Lupus ouvrit sa tablette de cire et nota:

Felix n'est pas ici, il est à Rome.

–Ridicule, lâcha Pulchra, Pater n'a pas mis les pieds à Rome depuis des années. Qui t'a raconté ces inepties?

Ta mère.

Pulchra se tut et baissa la tête.

–Mater ne va pas très bien, murmura-t-elle, elle a souffert d'une forte fièvre après la naissance de Polinilla. Depuis, elle ressent de terribles maux de tête. Parfois, elle ne sait plus distinguer la réalité du rêve. C'est pour cela que nous avons déménagé, il y a trois ans. Pater veut la protéger. Il ne passe presque jamais une nuit au loin.

Lupus réfléchit. Si Felix était parti pour Rome…

Jonathan posa sa main sur l'épaule de Pulchra.

–Je suis désolé que ta mère soit malade.

–Pater pense qu'elle va mourir.

La voix de Pulchra était calme.

–Il ne me l'a jamais dit mais j'en suis certaine. C'est pourquoi la soirée que nous avons passée tous ensemble était si particulière… vous ne pouvez pas comprendre…

Flavia serra les lèvres.

– Nous sommes désolés, Pulchra. Et moi, je suis désolée de t'avoir insultée et de m'être battue avec toi. Mais tu dois comprendre que Nubia n'est pas mon esclave. Elle est mon amie.

Pulchra tourna la tête.

– Tu as de la chance d'avoir une telle amie.

– Lupus, dit Jonathan, je ne te vois presque plus, ni toi, ni ta tablette de cire. Veux-tu encore nous donner une information avant que l'obscurité ne soit complète ?

Lupus écrivit :

Dès que la lune sera levée, allons à la villa Limona.

ROULEAU XXIV

Je m'appelle Titus Tadienus Rufus.

– La voix s'élevait claire dans la nuit.

–... Je vis à Rome mais je passais l'été chez mes grands-parents à Nuceria. Ma couleur préférée est le rouge, j'adore la charcuterie, et j'aimerais beaucoup revoir ma petite sœur Julia. Même si des fois elle est plus enquiquinante qu'une lanière de sandale cassée.

Jonathan entendit son sourire.

–... Je vais vous raconter ma blague préférée. Un boucher va chez un fermier d'Oplontis qui élève des poulets à quatre pattes. Mes clients vont adorer ça, explique le boucher au fermier, mais dites-moi : Quel goût ont-ils ? Je ne sais pas, répond le fermier, ils courent si vite que je n'ai jamais réussi à en attraper un.

Des rires fusèrent dans la grotte.

C'est Jonathan qui avait eu cette idée pour passer le temps et redonner à chacun du courage.

– Merci Rufus, dit-il, à qui le tour ?

– Tout le monde a parlé, je crois, lança Flavia.

– Non, pas tout le monde, la contredit Pulchra.

– Il fait trop sombre pour que nous puissions lire Lupus, soupira Jonathan.

– Je sais. Je parlais de Leda, mon esclave.

Jonathan se racla la gorge.

– Oh, oui, c'est vrai. Leda, à toi.

Il y eut un long silence puis une petite voix timide commença.

– Je m'appelle Leda. Je viens de Surrentum. Ma couleur préférée est le bleu. J'adore manger du poisson avec du citron et j'aimerais revoir la cuisinière de la villa parce qu'elle me donne toujours à manger quand j'ai faim. Et je ne connais pas de blague…

Mais Leda prit une longue inspiration et se lança :

– Combien de gladiateurs faut-il pour allumer une lampe à huile ?

– Je ne sais pas, avoua Jonathan.

– Aucun. Les gladiateurs n'ont pas peur du noir.

Tout le monde rit et Jonathan cria :

– Et nous non plus ! Pas vrai ?

– Vrai ! lui répondirent en chœur cinquante voix.

Flavia s'écria soudain :

– Regardez ! La lune s'est levée !

Jonathan apercevait quelques reflets dans l'eau et petit à petit une lumière pâle éclaira la caverne. Il commença bientôt à distinguer les visages qui l'entouraient.

Flavia se leva et tendit ses mains à Jonathan et Lupus.

– Il est temps. Partons et allons à la villa Limona. Venez tous, suivez-nous !

– Tu es vraiment têtue, hein, remarqua Pulchra, presque autant que moi !

– Tu rêves ! rétorqua Flavia, je suis beaucoup plus têtue que toi !

Jonathan ne put réprimer un sourire.

Flavia ne pensait qu'à une chose : éloigner au plus vite les enfants de cet endroit. Elle les mena vers l'escalier sans songer à vérifier si la voie était libre.

Alors qu'ils arrivaient un par un dans la partie supérieure de la grotte, Flavia en tête, une main l'agrippa brutalement. Une lame froide se posa sur sa gorge.

Lucrio éructa :

– Descendez tous et si vous n'êtes pas cinquante quand j'arrive, je lui coupe la gorge, vous m'entendez ? Je coupe la gorge à la maigrichonne !

Cette fois, personne ne rit.

Tremblant des pieds à la tête, Lupus s'accrocha à une roche mouillée et plongea dans l'eau juste à l'entrée de la grotte. Par chance, il était le dernier de la file. En entendant la voix de l'homme, il avait reculé et regagné la mer.

Un peu plus loin, un grand bateau était ancré et une barque s'approchait.

Les rameurs ne l'avaient pas vu. Caché derrière son rocher, il avait observé les allées et venues de la barque, de la grotte au bateau et du bateau à la grotte.

À la lueur de la torche, il distinguait une douzaine de visages, ceux de Flavia et de Jonathan étaient parmi eux. C'était sans doute le dernier voyage. Le dernier chargement.

Le bateau repartirait avec la brise du petit matin. Et ses amis disparaîtraient alors pour toujours.

Il devait retourner à la villa Limona sans tarder.

Lupus nageait. Il nageait et priait en même temps pour que Pulchra aille bien et que son père ne soit pas parti pour Rome. Il n'avait personne d'autre vers qui se tourner à présent. Il savait que Felix serait prêt à tout pour sauver sa fille.

–Je vous en prie Seigneur, murmura-t-il, faites que je le trouve.

La lune était haute dans le ciel. Nubia, Kuanto et les autres esclaves descendirent le petit chemin qui menait à la crique. Un pêcheur les attendait dans une barque pour les amener dans ce grand bateau qui était mouillé au large.

Kuanto monta le dernier dans la barque. Il la poussa dans l'eau et sauta dedans. Elle remua un peu. Lui et le pêcheur prirent les rames. Nubia frissonna et serra Nipur contre elle. Ce pas vers la liberté pouvait se solder par la mort.

Elle songea à tout ce qui allait lui manquer dans ce pays : le thé à la menthe et les dattes fourrées, les jardins intérieurs et les fontaines. Tigris et Scuto. Et surtout, Flavia, Jonathan et Lupus. Flavia, qui avait été si bonne avec elle.

Nubia leva les yeux vers la lune. L'astre lui rendit son regard. Il éclairait la mer, le rivage et la barque, et sa lumière rendait tout irréel.

Alma et Mordecaï allaient lui manquer. Le père et l'oncle de Flavia aussi. Et la belle Miriam. Nubia n'avait plus de famille. Que se passerait-il si Kuanto ne pouvait retrouver sa tribu ? Si tous avaient été capturés…

Elle se rappela son père, gisant dans une mare de sang. Sa mère hurlant de terreur et… Non, elle ne devait plus y penser. Elle avait Kuanto à présent. Il la protégerait comme l'aurait fait son grand frère Taharqo.

Ils étaient devant le bateau. Sa coque tanguait doucement devant eux. Un par un, les esclaves en fuite grimpèrent à l'échelle de corde qui menait sur le pont. Kuanto tendit Nipur qui fut saisi par quelqu'un dont Nubia ne pouvait voir le visage, puis il monta à son tour, agile comme un singe. Il tendit enfin la main à Nubia et la tira doucement sur le pont.

Et là, elle s'arrêta.

Devant elle, se tenait un groupe d'une cinquantaine d'enfants tremblants. Et à côté, des hommes liaient les mains de Socrate, Phœbus et les autres.

Elle comprit qu'elle avait commis une terrible erreur.

Quand Flavia avait vu le jeune homme à la peau noire poser Nipur sur le pont, elle avait failli crier. Mais elle s'était retenue et avait attendu. À présent, il aidait Nubia à le rejoindre et Flavia l'entendit ordonner :

– N'attachez pas celle-ci, elle est avec moi.

Il passa ses bras autour des épaules de Nubia.

– Tu es avec moi, n'est-ce pas ? répéta-t-il.

Nubia acquiesça solennellement. Elle regarda les enfants. Ses yeux s'arrêtèrent un instant sur Flavia puis se détournèrent sans que son visage ait trahi la moindre émotion.

Les bras toujours autour des épaules de Nubia, Kuanto s'adressa aux prisonniers :

– Je m'appelle Fuscus, voici Crispus le bras droit du Patron et son frère Lucrio de Pompéi. Voilà Sorex et Actius et à la barre le capitaine Murex. Nous sommes les pirates de Pompéi.

Il rit.

– Et vous êtes notre butin ! Obéissez-nous et nous vous traiterons bien, mais je vous préviens, le premier qui s'agite sera jeté par-dessus bord.

Dans la lumière de l'aube de septembre, le bateau sillonnait la mer, direction l'île de Capri.

Dans la cale, les enfants se réveillaient. Le bébé cria et Sperata essaya de le consoler malgré ses propres larmes.

Nubia se leva et monta sur le pont. Elle frissonnait. La brise matinale était fraîche. Nipur la suivait.

Les pirates dormaient encore, enroulés dans leurs capes à l'avant du bateau. Kuanto avait déniché une couverture, Actius ronflait, Sorex était recroquevillé comme un enfant, Lucrio près de son frère Crispus.

Ils avaient laissé à Nubia la couchette dans la cabine mais elle avait passé la pire nuit de sa vie.

Comment avait-elle pu se tromper à ce point à propos de Kuanto ? Depuis qu'elle était arrivée dans ce pays, jamais son instinct ne lui avait fait défaut. Elle avait été trompée par un garçon de son propre pays.

Peut-être parce qu'il parlait la même langue qu'elle... peut-être que plus elle comprenait les mots, moins elle voyait la vérité.

– Où étais-tu ?

Nubia sursauta. Kuanto s'était approché d'elle sans qu'elle l'entende.

– Je cherchais les latrines.

– C'est de l'autre côté du bateau, lui sourit Kuanto, il y a un endroit où tu peux t'asseoir juste au-dessus de l'eau. Mais si tu veux que personne ne te voie, je te suggère de descendre à la cale. De toute façon, ça pue déjà tellement.

– C'est ce que j'ai fait.

Kuanto lui prit la main.

– Allons fêter notre victoire avec un peu de vin aux épices.

Le capitaine Murex dormait, blotti dans une couverture, devant la porte ouverte de la cabine. Un marin tenait la barre, un autre avait posé un pot de vin sur un petit réchaud à charbon.

Nubia se força à lui sourire. Une tache de naissance rouge s'étalait sur la joue du marin.

– Laissez-moi faire, lui proposa-t-elle, en prenant la cuiller dont il se servait pour mélanger le vin.

Il lui laissa volontiers sa place.

Au moment où elle pensa que personne ne la regardait, elle fit ce qu'elle avait à faire.

Puis, les mains tremblantes, priant pour que personne ne le remarque, elle remplit quatre tasses et en tendit une à chacun des marins et une à Kuanto.

– À la liberté! s'exclama-t-elle en levant sa tasse.

– À nous! lança Kuanto.

Il vida sa tasse d'un seul coup.

– Qui es-tu réellement? demanda Nubia à Kuanto dans sa langue maternelle. Un esclave?

– Presque tout ce que je t'ai dit était vrai. Ce que je n'ai pas précisé, c'est que j'étais esclave dans une propriété appelée Limon. Une autre propriété du

184

Patron. Il en possède beaucoup, tu sais. Il est riche comme Crésus.

– Tu es donc un esclave de Felix ?

– Je suis un affranchi. Le patron m'a engagé pour être un de ses soldats. Aujourd'hui, je travaille pour lui. Crispus est son bras droit. Nous devons faire régner l'ordre et la loi pour ses nombreux clients. Nous rattrapons les esclaves en fuite et les rendons à leurs propriétaires qui, en général, les font crucifier. Mais ça nous a paru du gaspillage, alors nous avons décidé de changer un peu les règles. Nous avons commencé à vendre quelques esclaves que nous attrapions à des marchands de passage. Comme ça, on gagne de l'argent et les esclaves ne sont pas exécutés. Tout le monde est content.

Nubia remplit de nouveau la tasse de Kuanto.

– Le Patron savait qu'il y aurait beaucoup d'esclaves en fuite après l'éruption. Il nous a demandé de recruter deux ou trois hommes pour une opération de grand nettoyage. Maintenant Lucrio, Sorex et Actius travaillent avec nous.

– Mais vous ne vous contentez pas de rattraper les esclaves en fuite… Vous capturez également des enfants.

– C'est une idée de Lucrio. Dans tout ce désordre, qui va se douter de quoi que ce soit ? Ils ont capturé la fille d'un des clients du Patron par erreur mais Lucrio a réussi à le tourner à son avantage. Nous l'avons rendue et maintenant, le vieux paysan ne sait pas comment nous remercier. C'est mon idée à moi d'attraper les enfants riches et de demander une rançon. Il faut prendre l'argent où il se trouve.

– Felix ne sait donc rien de votre petite affaire ?

– Rien du tout ! Il est complètement déconnecté depuis qu'il vit à la villa Limona. Trop occupé à écrire des poèmes, si tu veux mon avis ! Mais l'organisation est bonne… Quand Crispus donne un ordre au nom du Patron, tout le monde obéit !

Nubia remua le vin pensivement et quand Actius et Sorex arrivèrent, bâillant et se frottant les yeux, elle leur versa une tasse à chacun.

Sorex but bruyamment.

– La journée commence bien, lâcha-t-il, se faire servir du vin épicé par une beauté ténébreuse… Lucrio, réveille-toi !

Nubia servit Lucrio et Crispus. Sorex et Actius firent sortir les enfants de la cale.

– Groupez-vous près du bastingage, leur ordonna-t-il.

Tremblants, les mains liées, les enfants obéirent. Ils étaient pitoyables.

Le capitaine Murex s'était réveillé à son tour. Il regardait le spectacle en sirotant son vin chaud.

Crispus, sa tasse dans une main, une badine de saule dans l'autre, s'approcha du premier enfant de la file.

– Ton nom ?

– Jonathan ben Mordecaï.

– D'où es-tu ?

– Ostia.

– Est-ce que tes parents sont assez riches pour payer une rançon ?

– Oui… je crois… Nous avons une maison.

– Parfait ! Va de ce côté.

Jonathan ne comprit pas et resta immobile. Crispus lui attrapa le bras et le poussa à travers le pont, vers l'autre bastingage.

– Ton nom ? recommença-t-il.

– Flavia Gemina, fille du capitaine Marcus Flavius Geminus.

– Capitaine, hein ? Il devrait avoir les moyens de payer pour te revoir… Va de ce côté.

Flavia rejoignit Jonathan.

– Ton nom ?

– Leda.

– D'où es-tu ?

– C'est une esclave, lança Lucrio.

– Reste là, alors.

Il avança encore d'un pas.

– Ton nom ?

– Polla Pulchra, fille de Publius Pollius Felix, votre patron.

Crispus se recula d'un pas et regarda la jeune fille aux vêtements déchirés et au visage couvert de bleus et de traces de sang.

Il écarquilla les yeux, horrifié.

– Lucrio, espèce de cinglé ! Tu as capturé la fille du Patron !

Kuanto jura à voix basse.
– Crétin !
Crispus insultait son frère.
– Comment as-tu pu faire une erreur pareille ?
Son visage était pâle de colère.
– C'est pas elle, protesta Lucrio, je l'ai déjà vue, la fille du Patron. C'est une petite blondinette toute pomponnée.
– Et ses cheveux à elle, tu dirais qu'ils sont de quelle couleur ? rugit Crispus en prenant une mèche de Pulchra.
– Euh… sale… grimaça Lucrio.
– C'est elle, j'en suis sûr, les interrompit Kuanto.
– De toute façon, ce n'est pas moi qui l'ai attrapée, se défendit Lucrio, c'est Sorex et Actius.
– Elle se comportait pas vraiment comme une gentille petite fille bien élevée, marmonna Actius.
– C'est pas notre faute, se plaignit Sorex, tu nous as dit d'attraper le plus d'enfants possible. Celle-là se roulait dans la poussière avec une autre,

elles se battaient comme des chats sauvages. Comment on aurait pu deviner?

– Imbécile !

Crispus ignora les deux comédiens et saisit son frère par le col de sa tunique.

– Tu es conscient du pouvoir du Patron? Tu as déjà croisé le gros Lucius Brassius. Il est capable de t'exploser la tête comme si elle était une coque de pistache !

– On va la rendre. Comme on a fait pour l'autre et il sera super content.

– On ne peut pas, affirma Kuanto, Pulchra n'a rien de la timide fille du fermier. Elle parlera.

– Par Pollux, jura Crispus, il va nous massacrer s'il apprend ce que nous faisons depuis des années ! Il demandera à ce géant de Lucius Brassius de me couper en morceaux et de me jeter aux poissons.

Les vaguelettes cognaient contre la coque du bateau et le bébé de Sperata pleurait doucement.

– Fais-le taire ! s'énerva Crispus, il faut que je réfléchisse ! S'il continue de geindre, je le balance par-dessus bord.

Crispus et les autres s'éloignèrent pour discuter.

Jonathan essayait de capter le regard de Nubia. Avait-elle réussi à verser la poudre anesthésiante dans leur vin ?

Nubia acquiesça le plus discrètement possible.

Quand elle était descendue dans la cale, ce matin, Jonathan lui avait donné le petit sachet qu'il avait pris la précaution d'emporter avant de partir pour la villa Limona.

Mais Jonathan ne comprenait pas. Les pirates devraient être en train de dormir. Il le savait, il avait maintes fois aidé son père à administrer cette poudre à des malades.

Flavia fit une moue interrogative. Jonathan haussa les épaules, puis fronça les sourcils. Il y allait avoir des problèmes, beaucoup de problèmes.

Les pirates revenaient et se dirigeaient vers lui.

Ils avaient un visage féroce.

Lucrio désigna Jonathan et Flavia.

– Rejoignez les autres vous aussi. Allez, de l'autre côté.

– Vous n'allez pas demander de rançon à nos parents ? demanda Flavia.

– On a changé nos plans, marmonna Lucrio.

– Que se passe-t-il ? demanda Nubia à Kuanto.

– C'est trop risqué de les relâcher contre une rançon. Même s'ils peuvent nous rapporter des milliers de sesterces. On va les vendre avec les autres au marchand. À la condition qu'il les emmène à l'autre bout du monde. En Britannia, par exemple. Si le Patron découvre ce que nous avons fait, il nous poursuivra jusqu'à Alexandrie.

– Et sa fille ?

– On ne peut pas la laisser partir. Elle mènerait Felix jusqu'à nous. Je pense que nous devrions

190

lui couper la gorge et la jeter par-dessus bord mais Crispus ne veut pas. Il veut la vendre avec les autres.

– On fait quoi maintenant ? s'enquit Nubia.

– On va retrouver l'acheteur près de la Grotte bleue à Capri. Dès que nous aurons l'argent, nous pourrons payer le capitaine Murex et il nous emmènera à Alexandrie… si on a de la chance… Si on a de la chance… Oh ! attention !

Le visage défait, Kuanto tendait le doigt derrière Nubia.

– Quoi, que se passe-t-il ?

– Ne bouge pas, chuchota Kuanto, un cobra des sables, juste derrière toi. Énorme !

Nubia s'immobilisa. Un cobra des sables ! Le plus dangereux de tous les serpents.

– Où ? parvint-elle à articuler.

– Là !

Le front couvert de sueur, Kuanto tremblait des pieds à la tête.

– Tu ne le vois pas ? Il est énorme !

Nubia suivit son doigt mais tout ce qu'elle vit était un bout[1], enroulé sur le pont près du bastingage.

Un cri résonna près du mât.

Un des marins, perché sur le gréement, battait des bras comme pour s'envoler.

– Je vole, criait-il, je vole !

---

1. Morceau de corde marine.

Il se lança dans les airs et atterrit violemment sur le pont.

Nubia pensa qu'il était mort mais elle l'entendit pousser un grognement. Il essaya de se relever et retomba, inconscient. Elle remarqua qu'il portait un couteau à la ceinture.

– Par Hadès ! Que se passe-t-il ? s'exclama Crispus.

Kuanto se jeta contre lui en hurlant :

– Cobras, cobras !

Crispus se frotta les yeux et se mit à son tour à crier !

– Oui, des serpents, là, là et là !

Ils étaient tout à leur panique. Nubia se pencha et prit discrètement le couteau du marin évanoui.

Tout l'équipage hurlait et courait en tous sens. Un des marins se jeta par-dessus bord.

Nubia s'approcha de Jonathan et coupa ses liens.

– Je pense que ce n'est pas de la poudre pour dormir que tu m'as donnée, lui souffla-t-elle.

– J'ai dû la confondre avec la poudre de champignon, acquiesça Jonathan. Elle donne des hallucinations.

Nubia libéra Leda et se pencha vers Pulchra. Pendant un bref instant, les deux jeunes filles se regardèrent intensément. Pulchra baissa les yeux la première. Nubia trancha la corde autour de ses poignets avant de s'occuper de Rufus et de tous les autres enfants.

Soudain Pulchra poussa un cri. Lucrio courait vers elle, un couteau à la main.

– Vermine ! rugissait-il, des rats et de la vermine.

Son couteau se planta dans le bastingage à quelques centimètres de l'épaule de Rufus. Le garçon aux cheveux roux se baissa, saisit les chevilles de Lucrio et l'envoya valser dans l'eau.

Tous les enfants applaudirent.

– Bravo Rufus ! le félicita Flavia.

Le garçon s'inclina.

– Merci, je me suis entraîné à la palestre.

Il retira le couteau du bastingage et aida Nubia à libérer tout le monde.

Bientôt, les enfants couraient partout sur le pont en riant.

– Hé, remarqua Flavia, c'est exactement comme le dessin sur la coupe que Felix m'a offerte. Les pirates sautent du bateau ! Regarde, Sorex, je suis un lion et je vais te dévorer.

Elle s'approcha du pirate en rugissant férocement.

Avec un petit cri de terreur, Sorex se jeta à son tour dans la mer.

Jonathan, Nubia et Flavia se penchèrent au-dessus de l'eau.

– Tu crois qu'il va se transformer en dauphin ? demanda Jonathan.

– Je n'en ai pas l'impression, répondit Flavia.

– Regardez ! cria Flavia, il coule comme une pierre !

Flavia Gemina lia les poignets d'Actius. Bien serré.

–Hé Flavia, l'interpella Jonathan, ton père est capitaine, non ? Tu dois savoir faire avancer ce bateau.

Jonathan, à la barre, semblait perdu.

–Non, je n'en ai aucune idée, rétorqua Flavia.

Actius la regarda, effrayé. Elle grogna, il se recroquevilla contre le bastingage.

Pulchra et Leda avaient mis Kuanto et Crispus dos à dos et les ligotaient avec l'immense cobra.

–J'ai trouvé du pain, cria Rufus en arrivant, un panier à la main.

Les enfants se groupèrent autour de lui. Rufus leur distribua un morceau à chacun. Ce n'était que du vieux pain, rassis et brun, mais la plupart d'entre eux n'avaient rien mangé depuis trois jours.

Le panier fut vidé en un rien de temps.

– J'ai vu un autre panier, les rassura Rufus.

–Je viens avec toi, se proposa Melissa, la petite fille aux cheveux frisés.

–Aidez-moi, appela Jonathan, je n'arrive pas à virer de bord ! On va s'écraser sur la côte de Capri.

Le vieux Socrate s'approcha de lui.

–Je pense que quelqu'un doit monter dans le gréement pour t'indiquer la route…

–Je suis super forte pour grimper aux arbres, lança Flavia, j'y vais !

–Je viens avec toi, dit Nubia.

Les deux jeunes filles se dirigèrent vers le mât, s'arrêtèrent et se jetèrent dans les bras l'une de l'autre.

–Excuse-moi Nubia, j'ai été affreuse avec toi, s'il te plaît, pardonne-moi.

Nubia acquiesça.

–Tu es tout ce qui me reste aujourd'hui. Je t'en supplie, ne te mets pas en colère quand je fais une bêtise.

Ses yeux ambrés étaient pleins de larmes. Flavia la serra plus fort dans ses bras.

–Tu n'avais pas fait de bêtise. J'ai dit « idiote », à cause de la bulla. Je ne voulais pas la porter parce que je voulais impressionner cette araignée de Felix.

–Felix n'est pas une araignée, murmura Nubia. Kuanto est le seul responsable avec l'autre, Crispus. Ils disaient que les ordres venaient de leur patron mais n'en faisaient qu'à leur guise.

–Felix n'y est pour rien ? s'étonna Flavia.

Nubia secoua la tête.

Flavia soupira de soulagement et Nubia rit.

Elles grimpèrent ensemble sur le mât. Nubia expliqua à Flavia tout ce qu'elle avait appris de la bouche de Kuanto.

– Nous devons faire demi-tour rapidement, conclut-elle, l'acheteur nous attend non loin d'ici.

– Tu as raison, approuva Flavia, nous avons intérêt à rentrer au plus vite à la villa Limona. Mais la voile est si lourde. Je ne sais pas si nous allons réussir à la tourner. Nubia, peux-tu essayer de tirer sur ce bout ? Nubia ? Nubia, que t'arrive-t-il ?

Le visage de Nubia était pétrifié. Un bateau se dirigeait vers eux, la voile gonflée. Une voile que Flavia et Nubia connaissaient parfaitement. C'était la voile rayée de jaune et de noir du *Vespa*.

Maintenant, elles connaissaient l'identité de l'acheteur.

Venalicius !

– La petite voile devant, cria Jonathan, Le bateau tournera si vous mettez la petite voile à l'avant…

– On n'y arrive pas, répondit Flavia, elle est trop lourde.

– Descendez, leur demanda Rufus, on va essayer de virer de bord autrement, mais si vous restez perchées là-haut vous risquez de tomber.

Les jeunes filles obéirent et se laissèrent glisser chacune le long d'une corde.

– Maintenant, prévint Jonathan.

Rufus déroula un bout et tira dessus. Le bateau tangua et gîta dangereusement d'un côté.

Des enfants tombèrent, le réchaud se renversa.

– Vite ! cria Jonathan, versez de l'eau sur le charbon !

Le bateau s'était redressé, mais avait perdu beaucoup d'avance. Le navire de Venalicius se rapprochait dangereusement.

– Que t'arrive-t-il ? demanda Flavia à Jonathan dont les yeux semblaient perdus dans le vague.

– J'ai l'impression d'avoir rêvé tout cela, prononça-t-il lentement.

– Ce n'est pas le moment de rêver. C'est le moment d'agir.

– Tu as raison !

Jonathan dénoua la ceinture de sa tunique.

– Qu'est-ce que tu fais ?

– C'est ma fronde. Je la porte comme une ceinture mais en réalité, c'est ma fronde ! expliqua Jonathan, je n'ai plus qu'à trouver des projectiles. Il faut qu'ils soient petits mais lourds.

Nubia s'approcha de Kuanto. Crispus et lui, occupés à discuter entre eux, ne lui prêtèrent même pas attention. Elle coupa la cordelette qui retenait la bourse de Kuanto et versa des pièces d'or dans la main de Jonathan.

– C'est parfait, sourit-il, c'est exactement ce qu'il me fallait ! Maintenant nous devons trouver un moyen pour les avoir par surprise.

Il se gratta la tête et soudain, son visage s'éclaira.

– Pois chiches !

Flavia et les autres le regardèrent comme s'il avait perdu la raison.

– Dans la cale ! J'ai passé la nuit contre un sac plein de pois chiches ! Écoutez-moi bien, voilà ce que nous allons faire.

Le bateau de Venalicius s'était accroché à leur côté. Cachée tout en haut de la mâture, Nubia vit son ennemi juré sauter sur le ponton. Trois de ses hommes de main l'accompagnaient, les deux autres étaient restés sur le *Vespa*.

Nubia se força à le regarder. Venalicius. Son œil gauche, boule blanche et sans vie dans son orbite. Et son autre œil, petit et injecté de sang. Il n'avait plus d'oreille gauche et la blessure était toujours rouge et suintante.

Venalicius tenait une dague aiguisée comme un rasoir. Nubia pria pour que le plan de Jonathan fonctionne.

– Vous en avez mis du temps, grogna Socrate.

Il jouait parfaitement l'homme en colère.

– Qui êtes-vous ? lâcha le marchand d'esclaves.

– Sorex, comédien et pirate, et je vous présente…

Il tendit emphatiquement le bras vers les trente enfants appuyés contre le bastingage opposé, les mains dans le dos comme s'ils étaient attachés.

– … la marchandise !

– Vous n'aviez pas dit qu'il y en aurait plus ? grogna Venalicius.

– Admirez ce magnifique lot, reprit Socrate sans se démonter.

Il se déplaça d'un pas élastique devant les enfants et s'arrêta devant Pulchra qui s'était portée volontaire pour rester sur le pont.

– Très grande qualité ! marmonna Venalicius en passant la main dans les cheveux blonds de la jeune fille.

Puis il s'approcha de Flavia.

– Tiens, tiens, la fille du capitaine. Tu es bien loin de chez toi, ma belle.

Du haut du mât, Nubia perçut le frisson de Flavia.

Venalicius regarda autour de lui.

– Où est Crispus ?

– Je suis là.

Phœbus, le jeune esclave grec, remonta les marches de la cale.

– Où est notre argent ?

– Pas si vite, l'interrompit Venalicius, qui a dit que je comptais vous payer ?

Venalicius fit un signe à ses hommes de main qui sortirent leur dague à leur tour.

Phœbus n'attendit pas une seconde de plus. De toutes ses forces, il hurla le mot de passe :

– Pois chiches !

– Quoi ? !

Venalicius parut décontenancé.

À ce moment précis, Flavia et Pulchra donnèrent un violent coup de pied dans le sac de pois chiches posé à leurs pieds. Les minuscules sphères se répandirent sur le ponton et les enfants sortirent de la cale.

– Qu'est-ce que…

Un des hommes de Venalicius tenta d'avancer, mais les pois chiches roulèrent sous ses pieds et il tomba lourdement.

Jonathan, de l'entrée de la cabine de pilotage, fit tourner sa fronde. Un autre homme de Venalicius tomba assommé. La pièce d'or qui l'avait atteint en pleine tête roula à côté de lui.

– Ne bouge pas, ordonna Venalicius à son troisième homme de main.

En espérant que l'homme obéirait à son patron, Nubia, perchée sur le mât, visa et laissa tomber la cruche de vin.

Elle atterrit exactement sur le crâne de l'homme qui s'écroula sur le ponton.

Venalicius leva les yeux.

Le sang de Nubia se figea.

– Toi, hurla Venalicius, une des Nubiennes !

Le premier homme de Venalicius tentait de se redresser. Il regarda autour de lui, vit Phœbus et se jeta de nouveau sur lui. Il tomba dans un fracas qui fit trembler le bateau.

– Pas très en forme, tes hommes, commenta Jonathan en faisant de nouveau tourner sa fronde.

Une pièce d'or atteignit Venalicius au milieu du front. Il vacilla et tomba à son tour.

– Ouch, grogna-t-il, à moitié assommé.

Nubia s'accrocha à un bout et se jeta dans les airs. Elle balança ses pieds dans le gros ventre de Venalicius.

– Beuh, s'étrangla-t-il.

Nubia se laissa glisser de sa corde sur le ponton, s'approcha de lui et s'assit lourdement sur sa poitrine. Les paupières de Venalicius se fermèrent, un filet de salive coulait de sa bouche sur son menton.

Elle prit le couteau de la main du marchand d'esclaves et posa la lame contre sa gorge.

Si elle trouvait le courage, le cauchemar serait à tout jamais terminé. Pour elle et pour tant d'autres.

Mais elle n'y parvint pas.

Elle se releva et jeta le couteau dans la cabine.

Elle prit une corde et ligota Venalicius.

Les pois chiches avaient presque tous roulé sur le côté gauche du bateau. Flavia et les enfants attachèrent les hommes de main de Venalicius. Le *Vespa* s'éloigna.

– Nubia, attention ! cria soudain Flavia.

La jeune esclave se retourna.

Venalicius avait repris conscience. Son œil unique brillant de colère, il essayait d'attraper malgré ses liens le couteau que Nubia avait jeté dans la cabine. Il avait réussi à se mettre debout. L'arme était à portée de sa main.

S'il parvenait à se jeter sur Nubia, elle était morte.

Une silhouette s'élança, la tête en avant, et fonça droit dans l'estomac de Venalicius.

Il s'écroula.

Les enfants l'enroulèrent dans la corde, des pieds à la tête.

Nubia se tourna vers son sauveur.

Polla Pulchra, les mains sur les hanches, lui sourit. Puis ses yeux s'écarquillèrent et elle s'écria :

– Pater !

Lupus suivait le Patron.

Il avait nagé jusqu'à la villa Limona. Il y était arrivé au petit jour. Felix sortait de son bureau, la tablette de cire à la main. Il n'était pas allé à Rome, seulement au campement de réfugiés.

Les seuls à avoir remarqué l'approche silencieuse de Felix avaient été les deux marins de Venalicius qui n'avaient pas demandé leur reste. Le *Vespa* n'était plus qu'un point à l'horizon.

Pulchra courut dans les bras de son père. Flavia, Jonathan et Nubia serrèrent Lupus dans leurs bras.

Nipur gambadait sur le ponton en aboyant gaiement.

– Pater, commença Pulchra, ils nous ont enlevés, nous ont ligotés et battus. On était prisonniers dans une grotte, mais j'ai réussi à assommer le plus moche, hein, c'est vrai Nubia ? J'ai sauvé la vie de Nubia, Pater, c'est vrai !

Nubia acquiesça et Lupus montra son pouce levé à Pulchra.

Jonathan prit Nipur dans ses bras et se tourna vers Lupus.

– Tigris ?

Lupus dressa son pouce une nouvelle fois en souriant.

Derrière Pollius Felix, se tenaient une douzaine de ses soldats dont Brassus le géant. Pulchra se jeta dans ses bras.

– Lucius Brassus.

Elle se serra contre lui et lança à l'attention des autres :

– Il est aussi gentil qu'il est costaud.

Felix secoua la tête.

– Eh bien, nous n'avons plus rien à faire, apparemment ! Il ne nous reste qu'à rentrer à la maison. Qu'en penses-tu, Lupus ? Lupus ?

Mais Lupus ne l'écoutait pas. Il regardait Venalicius. Le marchand d'esclaves gisait sur le pont comme un agneau prêt à être tué. Il ouvrit son œil unique, vit Lupus et la terreur décomposa son visage.

Lupus attrapa le couteau et le brandit au-dessus du visage du borgne.

Flavia hurla. Le sang jaillit.

Mais Venalicius avait réussi à s'écarter et Lupus lui avait juste coupé un morceau de sa dernière oreille.

Lupus poussa un cri et s'apprêta à enfoncer le couteau dans le cœur de Venalicius.

– Non !

Felix avait retenu le poignet de Lupus. Il lui arracha le couteau des mains et le jeta par-dessus bord. Puis il éloigna Lupus et le prit dans ses bras. Lupus se débattait et hurlait des propos incohérents mais Felix ne le lâcha pas. Enfin, la rage de Lupus se transforma en sanglots qui agitèrent son corps tout entier.

Felix s'était agenouillé près de lui et le tenait toujours dans ses bras. Il lui murmurait des mots apaisants à l'oreille.

Flavia n'avait jamais vu Lupus pleurer.

Elle n'avait jamais vu personne pleurer autant.

– Enlève-le, demanda Felix à Brassus en désignant Venalicius.

Cet après-midi-là, cinquante-deux enfants crasseux se baignèrent aux thermes de la villa Limona. On leur donna ensuite de nouvelles tuniques, puis on les nourrit : poulet rôti, salade et gâteau aux figues.

Avant que le soleil ne se couche, la plupart avaient regagné le campement de réfugiés, sur le bateau du Patron. Felix avait promis de mettre tout en œuvre pour que les autres puissent reprendre rapidement contact avec leur famille.

Il avait également promis aux douze esclaves en fuite la liberté pour avoir sauvé sa fille. Si leurs propriétaires étaient encore en vie, il paierait et les affranchirait.

Flavia, Jonathan, Nubia, Lupus et Pulchra étaient profondément endormis avant que la

205

première étoile apparaisse dans le ciel. Et ils ne se réveillèrent pas tôt le lendemain matin.

Un chuchotement sortit Nubia de son sommeil. Elle ouvrit les yeux. Nipur s'étirait à ses pieds.

– Nubia ? répéta Flavia, tu es réveillée ?

– Oui.

La lumière qui baignait la pièce lui indiqua qu'il devait être près de midi.

– Lupus voulait tuer Venalicius...

– Oui. Il le déteste encore plus que toi et moi, murmura Nubia.

– Pourquoi ?

Nubia ne répondit pas.

– Nubia ? reprit Flavia.

– Oui ?

– Pourquoi Venalicius a crié que tu étais une des Nubiennes ?

– C'est ainsi qu'il a appelé toutes les filles et les femmes de ma tribu.

– Alors, Nubia n'est pas ton vrai nom ?

Nubia ne répondit pas.

– Comment tu t'appelles ?

– Shepenwepet, fille de Nastasen, de la tribu des Léopards.

– Wepenshepet ?

– Shepenwepet.

– Oh ! Tu veux que je t'appelle comme ça, maintenant ?

–Non. Je me suis habituée au nom de Nubia. C'est mon nouveau nom pour ma nouvelle vie.

Un crépitement se fit entendre à l'extérieur.

–Quel est ce bruit? demanda Nubia.

–La pluie.

Nubia s'assit dans son lit et regarda le ciel gris à travers les colonnes. Mais ce n'était pas un gris de cendre, c'était un gris clair comme un signe de renouveau.

–La pluie, murmura-t-elle comme pour elle-même.

Scuto se gratta l'oreille.

–La pluie, répéta Nubia.

Elle bondit hors de son lit.

Dans le péristyle et la cour de la villa Limona régnaient le calme et le silence, car on avait demandé aux esclaves de ne pas faire le moindre bruit. Nubia dansa, tourna et cria:

–La pluie! La pluie!

Elle courut sous les colonnades. Flavia et les chiens la suivirent et les garçons sortirent la tête de leur chambre. Nubia s'étirait, dressait les paumes vers le ciel pour sentir les gouttes, elle grimpa quatre à quatre les escaliers qui menaient au jardin intérieur. Les autres la suivirent.

–La pluie, continuait de chanter Nubia.

Les gouttes lavaient les feuilles des arbres et leur redonnaient leur couleur originelle. Sur la colline, les vignes et les oliviers reverdissaient à vue d'œil.

Le sol sous leur pied buvait la pluie, se gorgeait d'eau et exhalait un parfum presque palpable. Nubia leva son visage vers le ciel.

Le soir même, les nuages s'éloignaient, la pluie avait lavé la colline et nettoyé le ciel.

Ils s'étaient tous réunis dans le triclinium privé de Polla Argentaria pour le dîner. Un esclave alluma les lampes, Leda offrait des guirlandes de myrtillier aux convives. Ses cheveux étaient propres et coiffés. Son visage transformé par un sourire.

Sous les divans, Scuto et les chiots rongeaient des os. Ils avaient été eux aussi lavés et brossés.

Felix s'allongea près de sa femme, dont le visage était plus coloré qu'à l'habitude.

– Patron, commença Flavia en ajustant sa guirlande sur sa tête, mon père m'a appris que si l'on autorisait un esclave à s'allonger pour manger, cela équivalait à lui rendre sa liberté. Est-ce vrai ?

– Oui. Normalement, on ne peut affranchir un esclave que s'il a plus de trente ans, mais personne ne peut rien contre la règle que tu viens d'énoncer.

– Je peux ? demanda Flavia.

Felix ferma les paupières et acquiesça doucement.

– Nubia, lança Flavia d'une voix claire, Nubia, devant tout le monde, je t'invite à t'allonger près de moi pour ce dîner. Acceptes-tu ?

– Non, répondit doucement Nubia.

Flavia la regarda, stupéfaite.

– Pourquoi ? Ne désires-tu pas être libre ?

– Je ne veux pas te quitter, ni Jonathan, ni Lupus. Je n'ai nulle part où aller. Vous êtes ma famille…

– Mais tu n'es pas obligée de nous quitter, se récria Flavia. Si tu es libre, tu peux décider de rester avec nous et de faire partie de la famille !

Un sourire éclatant éclaira le visage de Nubia.

– Alors j'accepte.

Elle s'allongea près de Flavia.

Flavia ôta la guirlande de sa tête et la posa sur les cheveux crépus de Nubia.

Ils mangèrent de bon appétit et burent le breuvage de Dionysos.

– Nubia, demanda Felix pendant que les esclaves débarrassaient la table, maintenant que tu es une jeune fille libre, consentirais-tu à venir t'asseoir près de moi, un moment ?

Nubia se leva gracieusement et s'assit au bout du divan de Polla et Felix.

Pulchra se leva à son tour et tendit un objet à Nubia.

– Je suis désolée d'avoir cassé ta flûte, s'excusa-t-elle, Pater et moi t'en avons acheté une nouvelle. S'il te plaît, accepte-la comme un présent pour célébrer ta liberté.

Nubia prit la flûte. Elle était en bois rouge. Elle leva les yeux vers Pulchra qui, impulsivement, se pencha vers elle, l'embrassa sur la joue et lui murmura à l'oreille :

– Merci de m'avoir sauvée.

– Merci à toi, sourit Nubia à travers ses larmes de joie.

Pulchra retourna sur son divan. Felix avait pris sa lyre et l'accordait.

– Tu nous as appris beaucoup, Nubia, dit-il.

Il resserra la dernière corde de son instrument et se tourna vers Lupus.

– Lupus, je crois que tu as trouvé un tambour en peau de chèvre sous ton lit... Voudrais-tu nous accompagner ?

Le tambour était orné de cuivre et d'argent.

– Demain, à midi, reprit Felix, un bateau de guerre arrive de Misenum[1]. Il vous ramènera au campement. Je vous accompagnerai. Ensuite, l'oncle de Flavia, le père et la sœur de Jonathan monteront à bord, et le navire vous ramènera à Ostia. C'est mon cadeau pour vous, pour avoir sauvé ma fille chérie et pour m'avoir ouvert les yeux.

Polla serra la main de son mari dans la sienne.

Felix pencha la tête et, quand il la releva, ses yeux étaient pleins de larmes.

---

1. Principal port de guerre de la flotte romaine, situé près du grand port de Puteoli, au nord de la baie de Neapolis.

– Demain est un autre jour, murmura-t-il, mais ce soir… ce soir, nous avons beaucoup de choses à célébrer… Alors jouons de la musique.

Il sourit à Nubia :

– Commence…

Esclave (p. 9) : la société romaine est divisée en deux grandes classes d'individus : citoyens et esclaves. Les citoyens sont des individus libres. Ils prennent les grandes décisions qui concernent la cité. Mais ils ne sont pas tous égaux. Les patriciens sont les citoyens les plus riches. Ils occupent des fonctions politiques ou religieuses. Les plébéiens sont les citoyens ordinaires, les plus pauvres. Les esclaves, quant à eux, sont pour la plupart des prisonniers de guerre. Certains, achetés pour presque rien, sont utilisés pour les travaux domestiques ou difficiles (dans les champs ou dans les mines). D'autres, acquis à prix d'or, exercent de vrais métiers : banquier, maître d'école, cuisinier... Le maître a tous les droits sur son esclave, y compris celui de vie et de mort. Les enfants qui naissent de parents esclaves le deviennent automatiquement pour toute la durée de leur vie. Ils ont toutefois une chance de sortir de leur condition en achetant leur liberté, en accomplissant une bonne action ou en bénéficiant de la générosité de leur maître. On dit alors qu'ils sont « affranchis ».

Thermes (p. 10): il existe des thermes privés et des thermes publics. Les thermes privés sont rares et ne se trouvent que dans les villas des riches citoyens, comme celles de Tascius ou de Pline. La grande majorité des Romains se rend donc presque quotidiennement dans les établissements de bains publics. Ces lieux sont ouverts à tous : riches ou pauvres, hommes ou femmes. Lorsqu'il arrive aux thermes, le Romain effectue un parcours précis qui le mène à travers différentes salles. Il se rend d'abord au vestiaire, où il dépose ses vêtements. Puis il passe un moment au sauna, une pièce pour transpirer. Il plonge ensuite dans une piscine d'eau chaude où il se savonne avec de l'huile d'olive. Il finit par un bassin d'eau froide. Mais les thermes ne sont pas seulement des lieux où l'on se lave. On peut en effet y faire du sport, se faire masser, aller chez le coiffeur ou encore lire dans les bibliothèques.

Comme il n'y a pas de sources naturelles d'eau chaude à Rome, l'eau des piscines est chauffée par des fours construits sous le sol, dans lesquels les esclaves allument de grands feux.

Titus (p. 60): empereur romain, de 79 à 81 apr. J.-C. Durant le règne de Vespasien, son père, il conquit la Judée. À l'issue d'un long siège, il s'empara de la ville de Jérusalem en 70 apr. J.-C., et fit détruire le temple de Salomon, le temple sacré des juifs. Il n'en subsista qu'un mur, appelé aujourd'hui mur des Lamentations. Devenu empereur à la mort de son père, un mois seulement avant l'éruption du Vésuve, il se montra bienveillant, et plutôt libéral. Il mena de grands travaux à Rome : Colisée, palais impérial, arc de Titus, etc.

Toge (p. 60) : la toge est le vêtement traditionnel du citoyen romain. En laine ou en lin, sa longueur est égale à trois fois la taille de celui qui la porte, et l'on ne peut s'en vêtir qu'avec l'aide d'une autre personne. Les enfants et les sénateurs portent la « toge prétexte », bordée d'une bande rouge. Lors de leur seizième anniversaire, les garçons quittent la toge prétexte pour revêtir leur toge d'adulte, la « toge virile », entièrement blanche. Seule la toge de l'empereur est entièrement rouge.

Vin (p. 61) : les Romains sont de gros consommateurs de vin. Les manières de le consommer sont diverses mais, en général, les vins ne sont pas bus purs. On les coupe avec de l'eau et on y ajoute souvent du miel ou des épices. Conservés dans des amphores, les vins peuvent se garder très longtemps. La région de Pompéi est réputée pour ses vins et les nombreuses tavernes où l'on peut les consommer. En 79 apr. J.-C., l'éruption du Vésuve détruit quelques-unes des meilleures vignes de toute l'Italie.

XII (p. 90) : les Romains utilisent des lettres majuscules pour écrire les nombres. Quelques rappels :

I = 1	VII = 7	XIII = 13	XIX = 19
II = 2	VIII = 8	XIV = 14	XX = 20
III = 3	IX = 9	XV = 15	L = 50
IV = 4	X = 10	XVI = 16	C = 100
V = 5	XI = 11	XVII = 17	D = 500
VI = 6	XII = 12	XVIII = 18	M = 1000.

AVANT JÉSUS-CHRIST

753 : date mythologique de la fondation de Rome par Romulus et Rémus.

750-509 : Rome est gouvernée par des rois sabins puis étrusques.

509 : Rome devient une république.

264-146 : guerres entre Rome et Carthage, puissante cité d'Afrique du Nord. L'un des épisodes les plus célèbres de cette lutte se déroule en 218 : avec une armée d'éléphants, le général carthaginois Hannibal traverse l'Espagne et franchit les Alpes pour attaquer les Romains.

44 : Jules César, célèbre conquérant de la Gaule, est nommé consul et dictateur à vie. Il est assassiné par Brutus, son fils adoptif.

27 : début de l'Empire romain.

APRÈS JÉSUS-CHRIST

Ier siècle : persécution des premiers chrétiens. Leur religion est condamnée et interdite par l'empereur.

54-68 : règne de Néron.

69-79 : règne de l'empereur Vespasien.

24 août 79 : éruption du Vésuve.

79-81 : règne de l'empereur Titus.

306-337 : règne de Constantin. L'empereur autorise le christianisme qui devient la religion officielle de l'Empire.

476 : chute de l'Empire romain.

POUR ALLER PLUS LOIN...

Romans et récits

ANDREVON (Jean-Pierre), *Contes et Récits des héros de la Rome antique*, Nathan, 2001.

DEFRASNE (Jean), *Récits tirés de l'Histoire de Rome*, Pocket-Jeunesse, 2001.

GONZALEZ (Lola), *Complot à Rome*, Flammarion-Père Castor, 1998.

WEULERSSE (Odile), *Tumulte à Rome*, Hachette-Jeunesse, 2001.

WINTERFELD (Henry), *Caïus et le gladiateur*, Hachette-Jeunesse, 2001.

Bandes dessinées

DUFAUX (Jean), DELABY (Philippe), *Murena*, Dargaud, 2002.

Tes héros dans l'Histoire

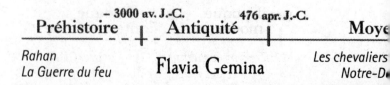

	– 3000 av. J.-C.	476 apr. J.-C.	
Préhistoire	**Antiquité**		**Moye**
Rahan *La Guerre du feu*	**Flavia Gemina**		*Les chevaliers* *Notre-D•*

Goscinny (René), Uderzo (Albert), *Astérix*, Albert René, Hachette, 1980-2002.

Martin (Jacques), *Alix*, Casterman, 1975-2000.

Livres documentaires

Casali (Dimitri), Auger (Antoine), *Rome*, Mango-Jeunesse, coll. « Regard junior », 2001.

Joly (Dominique), Garel (Béatrice), *Romains, Romaines*, Nathan, coll. « Mégascope », 1998.

Le Fur (Didier), *L'Histoire de Rome*, De La Martinière-Jeunesse, coll. « Cogito », 2002.

Meuleau (Maurice), Pommier (Maurice), *Les Romains*, Hachette-Jeunesse, coll. « Explorateur 3D », 2001.

Michaux (Madeleine), *Gladiateurs et jeux du cirque*, Milan, coll. « Les essentiels Milan junior », 2001.

Morvillez (Éric), *Rome et son Empire*, Casterman, coll. « Repères Histoire », 1999.

Films

Quo Vadis, Mervyn Le Roy, 1951.

Les Derniers Jours de Pompéi, Marcel L'Herbier, 1948.

Ben Hur, William Wyler, 1959.

Spartacus, Stanley Kubrick, 1960.

Gladiator, Ridley Scott, 2000.

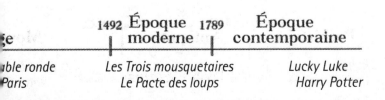

	1492 Époque moderne	1789 Époque contemporaine
...ble ronde *Paris*	*Les Trois mousquetaires* *Le Pacte des loups*	*Lucky Luke* *Harry Potter*

Achevé d'imprimer par Novoprint
en Espagne
Dépôt légal : 1er trimestre 2003